초등학생을 위한

표준 한국어

저학년

의사소통 4

초등학생을 위한

표준 한국어

국립국어원 기획 | 이병규 외 집필

저학년
의사소통 **4**

마리북스

발간사

　　다문화가정 학생 수는 매년 증가하여 2018년 12만여 명에 이릅니다. 그런데 중도입국자녀나 외국인 가정 자녀와 같은 다문화 학생들은 학령기 학생에게 기대되는 한국어 능력 수준에 이르지 못하는 경우가 많습니다. 이는 다문화 학생이 교과 학습 능력을 갖추지 못하거나 또래 집단 문화에 적응하지 못하는 결과로 이어지고, 결국 한국 사회에 안정적으로 정착하는 데 어려움을 겪는 주요한 원인이 됩니다. 따라서 다문화 학생을 위한 교육 지원은 보다 전문적이고 체계적으로 이루어져야 합니다.

　　학령기 한국어 학습자를 위한 정부 지원은 교육부에서 2012년에 '한국어 교육과정'을 개발하여 고시하였고, 국립국어원에서 교육과정을 반영한 학교급별 교재를 개발하면서 본격적으로 이루어졌습니다. 그 후 '한국어 교육과정'이 개정·고시(교육부 고시 제2017-131호)되었습니다. 이에 국립국어원에서는 2017년부터 개정된 교육과정에 따라 한국어 교재를 개발하고 있으며, 그 첫 번째 결과물로 초등학교 교재 11권, 중고등학교 교재 6권을 출판하게 되었습니다. 교사용 지도서는 별도로 출판은 하지 않지만 국립국어원 한국어교수학습샘터에 게시해 현장 교사들이 무료로 이용할 수 있게 하였습니다.

　　이번 교재 개발에는 언어학 및 교육학 전문가가 집필자로 참여하여 한국어 교육의 전문적 내용을 쉽고 친근하게 구성하기 위해 노력하였습니다. 특히 이 교재는 언어 능력 향상뿐만 아니라 서로 다른 문화를 이해하여, 한국 사회 구성원으로서 정체성을 확립하는 데 도움이 되도록 개발하였습니다.

　　아무쪼록《초등학생을 위한 표준 한국어》교재가 다문화가정 학생들이 한국어를 쉽고 재미있게 배워서 한국 사회에서 자신의 꿈을 키워 나가는 데 도움을 줄 수 있기를 바랍니다.

　　끝으로 이 교재의 개발을 위해 최선의 노력을 기울여 주신 교재 개발진과 출판사에 깊은 감사의 말씀을 드립니다.

2019년 2월
국립국어원장 소강춘

머리말

2012년 '한국어(KSL) 교육과정'이 고시되면서 초등 및 중등 학습자를 위한 한국어(KSL) 교육은 공교육의 체제 속에서 전개되어 왔습니다. 모어 배경과 문화, 생활 경험과 언어적 환경 등에서 매우 다양한 한국어(KSL) 학습자들은 '한국어(KSL) 교육과정'이 적용된《표준 한국어》교재를 배워 왔고 일상생활과 학교생활에 필요한 한국어 능력을 길러 왔습니다. 이제 학교에서의 한국어(KSL) 교육은 새로운 도약을 목전에 두고 있다고 할 수 있습니다. 지난 2017년에 '한국어(KSL) 교육과정'이 개정 되면서, 개정 교육과정이 적용된 새로운 교재 11권이 세상에 빛을 보게 되었기 때문입니다.

새로 발행되는《초등학생을 위한 표준 한국어》교재 편찬에서는 두 가지 원칙을 분명히 하고 있습니다. 첫째, 개정된 교육과정의 관점과 내용 체계, 교재 개발을 위한 기초 연구의 성과 등을 충실하게 반영하는 것입니다. 〈의사소통 한국어〉 교재와 〈학습 도구 한국어〉 교재를 분권하는 것 이나 학령의 특수성을 고려한 저학년용, 고학년용 교재의 구분 등은 이러한 맥락에서 실행되었습 니다. 또한 교육과정에서 제시한 언어 재료는 주요한 내용 설정의 준거가 되었습니다. 더불어 '내용 모듈화'의 방안을 살려 학습자의 특성과 교육 현장의 필요에 적합한 내용 선택 및 재구성이 가능 하도록 하였습니다.

둘째, 초등학생 한국어(KSL) 학습자와 교육 현장을 충분히 이해하고 고려하는 것입니다. 이를 위해 연구 집필진은 초등학생 한국어(KSL) 학습자의 언어 환경, 한국어 학습의 조건과 요구 등을 파악하는 데에 많은 노력을 기울였습니다. 초등학생 학습자의 일상, 학교생활, 교과 수업의 장면을 주제화하고 이러한 주제를 중심으로 필수 어휘와 문법, 표현을 재선정하였습니다. 초등학생들에게 적합한 이미지 중심의 내용 제시, 놀이 활동의 강화, 한글 교육 내용의 특화 등도 강조하였습니다.

개정《초등학생을 위한 표준 한국어》교재의 편찬을 위해 많은 관심과 지원을 아끼지 않은 국립 국어원 소강춘 원장님을 비롯한 관계자 여러분께 감사드립니다. 고된 작업 일정과 어려운 여건 속 에서도 진심과 열정으로 임해 주셨던 연구 집필진 선생님들께, 그리고 마리북스 출판사에도 깊은 감사의 마음을 전합니다.

언어는 사람의 삶, 그 자체입니다. 초등학생 학습자들이 이 책을 가지고 한국어를 배우는 것으로 삶의 큰 기쁨과 힘을 얻기를 바랍니다. 새로운 세상을 열고 새로운 존재로서의 자신을 단단히 깨닫게 되기를 바라는 마음입니다.

2019년 2월
연구 책임자 이병규

일러두기

〈의사소통 한국어 4〉 저학년 교재는 초등학교 1~2학년 학생들이 일상생활과 학교생활을 하는 데 필요한 한국어 능력을 기를 수 있도록 개발되었습니다. 초등학교 저학년 학생들이 일상생활과 학교생활에서 자주 쓰는 한국어 어휘와 문법, 표현을 배울 수 있도록 하였고, 듣고 말하고 읽고 쓰는 문식 활동을 충분히 경험하도록 하였습니다. 이 교재는 전체 8단원으로 구성되어 있으며 각 단원의 1~4차시는 의사소통 능력을 키우기 위하여 반드시 기본적으로 배워야 하는 기능과 지식이 포함되어 있는 필수 차시이고, 5~8차시는 필수 차시 학습 내용을 다양한 말이나 글의 유형에 통합하여 심화 학습 할 수 있는 선택 차시로 구성하였습니다. 〈의사소통 한국어 4〉 각 단원의 선택 차시는 학습자의 수준과 학령에 따라 〈학습 도구 한국어〉 1~2학년군의 각 단원(1~8단원)의 차시와 선택적으로 학습이 이루어질 수 있도록 구성하였습니다.

 해당 차시 목표 어휘   해당 차시 목표 문법   듣기 자료

이 책의 구성

단원	주제	기능	문법	어휘	문화	담화 유형
1	기상 현상	• 조언하기 • 확인하기	-을수록, -게 되다, -도록 하다	기상 현상 관련 어휘 기후 관련 어휘	여름 장마철	대화, 수업 대화, 뉴스, 신문 기사
2	체육 활동	• 역할 정하기 • 협상하기	-을 테니까, -었더니, 대신에	운동 관련 어휘	전통 놀이	대화, 편지, 일기, 쪽지
3	명절과 기념일	• 경험 말하기 • 설명하기	-더라, -는데, -곤 하다, -었던	명절 풍습 및 기념일 관련 어휘	명절 인사	대화, 설명문, 기행문, 백과사전
4	모임	• 주장하기 • 불만 말하기	-는대요, -으래요, -재요, -는 게 어때요 -기는 하지만, -기 위해서	모둠 활동 관련 어휘	협동의 중요성에 대한 속담	대화, 건의문, 온라인 대화, 포스터
5	친구 관계	• 감정 표현하기 • 변명하기 • 제안하기	-을까봐, -는 덕분에, -느라고, -으면 안 될까?	감정 관련 어휘	신체 관련 감정 표현	대화, 편지, 신문
6	실수	• 후회 표현하기 • 다짐을 말하기	-고 말다, -었구나, -을걸, -어야지	실수 관련 어휘 후회 관련 어휘	속담 알아보기	대화, 일기, 동화, 다짐 글
7	인물	• 묘사하기 • 강조하기	을 위해, -게 하다, -을 뿐 아니라, -든지	인물 일대기 관련 어휘	위인들의 명언	대화, 전기문, 발표문, 독서 감상문
8	진로	• 칭찬하기 • 추측하기	-던데, -잖아, -은가 보다, -어서인지	적성 관련 어휘 성격 관련 어휘	적성과 직업	대화, 수업 대화, 발표문, 신문 기사

단원 구성과 교재 활용 방법

· 단원 구성

선택 차시의
학습 주제 목록입니다.

선택 1
5 청개구리 이야기 읽기
6 재미있는 실수 말하기
7 다짐의 글 쓰기
8 생각 넓히기

필수 차시의
학습 주제 목록입니다.

이 집은 필수 차시와
선택 차시로 완성됩니다.

필수
1 학교에서의 실수
2 교실에서의 실수
3 후회하는 일
4 친구와 사이좋게 지내기

선택 2
학습 도구
한국어

· 교재 활용

도입

6
**달리기하다가
넘어지고 말았어요**

학습 목표
· 실수한 경험을 말할 수 있다.
· 후회하는 일에 대해 이야기할 수 있다.
· 앞으로의 일을 다짐할 수 있다.

단원 번호와 단원명

단원의 주제를 제목으로
제시하였습니다.

학습 목표

단원의 학습 목표를
제시하였습니다.

도입 질문

단원 학습 주제와 관련된
단원 도입 질문 두 가지를
제시하였습니다.

· 어떤 실수를 한 적이 있어요?
· 실수하고 나서 후회한 적 있어요?

도입 장면

단원 주제와 관련되어
있으며, 학생들의
일상생활과 연계한 장면을
제시하였습니다.

필수 차시

차시 번호와 차시 제목
해당 차시의 주제를 제목으로 제시하였습니다.

듣기 자료
학습 대상 어휘나 문법의 도입, 대화, 읽기 자료가 녹음되어 있습니다.

제시 활동
해당 차시에 도입되는 학습 대상 어휘와 문법을 그림, 낱말, 대화, 글 등의 형식으로 제시하였습니다.

연습 활동
학습 대상 어휘나 문법을 장면, 게임 등을 통해 공부합니다. 익힘책이 활용됩니다.

글자 색깔
학습 대상 문법이 드러나도록 빨간색 글자로 표시하였습니다.

---

1 학교에서의 실수

1. 친구들이 한 실수를 이야기해 봅시다. 🎧 22

   1) 잘 듣고 따라 하세요.

   2) 잘 듣고 붙임 딱지를 그림에 붙여 보세요. 붙임 딱지

2. 그림 속 친구들이 되어 다음과 같이 말해 봅시다.

   > 가: 무슨 일이 있었어?
   > 나: 달리기하다가
   >   넘어지고 말았어.

3. 실수한 경험을 이야기해 봅시다.

   1) 요우타는 무슨 실수를 했어요?

   2) 요우타는 왜 그런 실수를 했어요?

   3) 여러분은 어떤 실수를 한 적이 있어요?

108 • 의사소통 한국어 4

적용 활동

학습한 내용을 일상생활에
적용하고 실천하며
내면화합니다. 익힘책이
활용됩니다.

목표 어휘와 목표 문법

학습 대상 어휘나 문법을 확인할
수 있습니다.

🖊 물을 엎지르다, 길을 잃다,
배턴을 놓치다, 창문을 깨뜨리다,
넘어지다, 돌부리에 발이 걸리다,
헛발질을 하다, 친구와 부딪치다

📇 -고 말다

저는 달리기를 하다가 넘어졌어요.
앞 친구보다 빨리 가고 싶어서
빨리 뛰었는데, 갑자기 몸이 앞으로
기울어졌어요. 그래서 넘어지고 말았어요.
열심히 뛰었는데 아쉬웠어요.

장면

학생들의 실제적인
언어 상황이 드러나도록
언어 활동 장면을
구성하였습니다.

심화 학습 활동

선택 차시는 차시별로 말하기, 듣기, 쓰기, 읽기 심화 학습 활동으로 구성하였습니다. 필수 차시에서 학습한 내용을 최대한 활용하여 다양하고 흥미로운 활동을 해 봄으로써 유창성을 향상시키고 더불어 자신감도 키울 수 있도록 하였습니다.

차시 번호

5~8은 선택 차시를 나타냅니다.

차시 제목

선택 차시의 제목은 말이나 글의 유형과 언어 기능을 통합하여 제시합니다.

---

5 청개구리 이야기 읽기

1. 다음을 읽고 질문에 답해 봅시다.

옛날에 '아리'라는 청개구리 한 마리가 살았어요. 아리는 엄마 말을 잘 듣지 않고 늘 반대로 했어요. 엄마가 반찬을 골고루 먹으라고 하면 한 가지 반찬만 먹었어요. 엄마가 아리가 감기에 걸릴까 봐 긴 바지를 입으라고 하면 반바지를 입었어요. 엄마가 집에 일찍 들어오라고 하면 해가 지고 나서야 들어왔어요. 엄마는 말 안 듣는 아리 때문에 속이 상했어요.

그러던 어느 날 엄마가 깊은 병에 걸리고 말았어요. 엄마는 돌아가시기 전에 아리에게 말씀하셨어요. "엄마를 강가에 묻어 주렴." 엄마는 아리가 늘 반대로 하니까 이렇게 말하면 아리가 엄마를 산에 묻을 거라고 생각했어요. '이번에는 엄마 말대로 해야지.' 아리는 생각했어요. 그리고 엄마 말대로 강가에 엄마를 묻었어요.

그 뒤로 아리는 밥을 먹으면서도 '개굴개굴, 엄마 말대로 반찬을 골고루 먹을걸.' 옷을 입으면서도 '개굴개굴, 엄마 말대로 추운 날 긴바지를 입을걸.' 집에 돌아가면서도 '개굴개굴, 엄마 말대로 일찍 집에 들어갈걸.' '엄마 말대로 할걸.' 아리는 이렇게 매일 후회했어요.

특히 비가 오는 날이면 아리는 엄마의 무덤이 떠내려갈까 봐 걱정이 돼서 엄마 무덤 앞에서 "개굴개굴" 울었어요. 요즘도 비가 오는 날이면 엄마 무덤도 걱정하는 아리의 울음소리를 들을 수 있어요.

1) 엄마는 왜 늘 속이 상했어요?

2) 엄마는 왜 아리에게 강가에 묻어 달라고 했어요?

3) 비가 오는 날에 아리는 왜 '개굴개굴' 울었어요?

엄	마	의		무	덤	이			

2. 아리가 무엇을 후회하고 있는지 말해 봅시다.

3. 여러분이 아리와 같이 후회한 경험을 말해 봅시다.

언어 활동

동화 읽기, 노래하기, 놀이하기, 연극하기, 퍼즐 맞추기 등 다양한 유형의 활동을 통해 필수 차시에서 배운 어휘와 문법을 언어 기능과 함께 심화 학습을 합니다.

학습 전개

학습 내용에 따라 읽기 전-읽기 중-읽기 후 말하기 전-말하기 중-말하기 후 등 다양한 전개 방식으로 학습합니다.

놀이를 통한 학습 활동

초등 학습자의 흥미를 높이면서도 학습 효과가 높은 말판 놀이, 십자풀이, 퍼즐 등을 통해 복습, 심화 학습을 합니다.

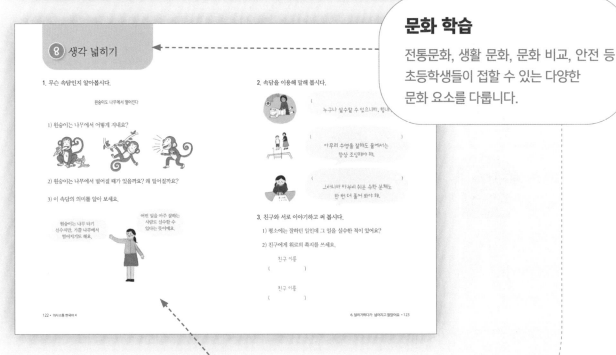

문화 학습

전통문화, 생활 문화, 문화 비교, 안전 등 초등학생들이 접할 수 있는 다양한 문화 요소를 다룹니다.

문화 의식

다양한 문화를 존중하는 상호 문화적 관점에서 문화를 학습합니다.

성우
한국

지민
한국

저밍
중국

하미
베트남

요우타
일본

아비가일
필리핀

리암
미국

아이다
키르기스스탄

빈센트
케냐

촘푸
태국

자르갈
몽골

김세현 선생님

박혜연 선생님

이 책의 특징

2017 개정 교육과정에 따른《초등학생을 위한 표준 한국어》의 특징은 다음과 같습니다.

첫째, 한국어 능력이 없거나 현저히 부족한 학생이 대상이며, 다양한 수준의 학습자를 고려하여 교재를 모듈화하였습니다. 이 책은 크게 일상생활과 학교생활 적응을 위한 〈의사소통 한국어〉와 교과 학습 적응을 위한 〈학습 도구 한국어〉로 분권하였습니다. 〈의사소통 한국어〉는 저학년용 네 권, 고학년용 네 권으로 1권과 2권은 초급, 3권과 4권은 중급에 해당합니다. 각 권은 목표 어휘와 목표 문법 학습을 위한 필수 차시, 다양한 담화 유형과 듣기·말하기·읽기·쓰기 활동에 통합하여 반복·심화 학습이 이루어지도록 구성한 선택 차시로 구성되었습니다. 〈학습 도구 한국어〉는 교과 학습 적응을 지원할 수 있도록, 초등학교 교육과정의 학년군별 위계화에 따라 1~2학년군용, 3~4학년군용, 5~6학년군용 모두 세 권으로 분권하였습니다. 3권, 4권 학습자 중 학습 이해도가 빨라 선택 차시의 학습이 불필요한 경우에는 〈학습 도구 한국어〉의 해당 단원을 선택하여 학습할 수 있습니다.

둘째, 대상 학습자의 인지 발달 수준과 언어 경험 수준을 고려하여 교수요목을 재정비하였습니다. 학습자 개인에서 주변·사회로, 구체적인 경험에서 추상적인 경험으로 학습 주제와 내용을 확장하였고, 그와 관련된 핵심 어휘와 문법을 선정하여 교수·학습 내용으로 제시하였습니다.

셋째, 초등 학습 단계가 구체적 조작기임을 고려하여, 목표 어휘와 목표 문법을 추상적인 언어로 설명하는 방식이 아니라, 구체적이고 실제적인 한국어 활동의 장면을 이미지화하여 이를 통하여 교수·학습함으로써 쉽게 익힐 수 있도록 하였습니다.

넷째, 게임·노래·놀이·퍼즐 맞추기·역할극하기·만화 보기 등 초등학생들의 흥미를 유발할 수 있는 다양한 학습 장치를 활용하여 활동을 구성하였습니다.

다섯째, 필수 차시에서는 목표 어휘와 목표 문법을 듣기·말하기·읽기·쓰기 활동과 통합하여 총체적이고 실제적인 의사소통 능력을 기를 수 있도록 구성하였고, 선택 차시에서는 듣기·말하기·읽기·쓰기 활동이 통합된 특정 담화의 유형 속에서 목표 어휘와 목표 문법을 반복·심화 학습하여 담화의 생산과 수용 능력을 기를 수 있도록 하였습니다.

여섯째, 매 차시 학습 전개 순서를, 학습 내용 확인을 위한 '제시 활동 단계', 확인한 학습 내용을 연습할 수 있는 '연습 활동 단계', 연습한 학습 내용을 일상생활에 적용하고 실천하여 내면화할 수 있는 '적용 활동 단계'로 나누어 구성하였습니다.

일곱째, 〈학습 도구 한국어〉는 수업 장면에서 반복되는 교실 어휘와 각 학년군의 국어·수학·사회·과학 교과서에 반복해서 등장하는 사고 도구 어휘·범용 지식 어휘를 학습 내용으로 선정하고, 그 어휘가 등장하는 수업 장면과 교과서를 활용하여 교수·학습 자료로 구성하였습니다.

여덟째, 〈의사소통 한국어〉나 〈학습 도구 한국어〉에서 연습 활동이 충분히 이루어지지 못한 경우는《초등학생을 위한 표준 한국어 익힘책》에서 보충할 수 있도록 연계하였습니다.

차례

발간사 ···················· 4

머리말 ···················· 5

일러두기 ·················· 6

등장인물 ·················· 12

1. 우산을 가지고 다니도록 해요 ·········· 16
2. 열심히 달렸더니 다리가 아파요 ········· 34
3. 한복이 참 예쁘더라 ················· 52
4. 피곤하기는 하지만 행복해요 ··········· 70
5. 알기 쉽게 설명해 준 덕분에 이해했어 ····· 88
6. 달리기하다가 넘어지고 말았어요 ········ 106
7. 백성을 위해 한글을 만드셨어요 ········· 124
8. 성격이 아주 유쾌한가 봐 ············· 142

듣기 지문 ··················· 160

정답 ······················ 166

문법 색인/어휘 색인 ············· 176

선택 1
5 '계절이 되면' 놀이 하기
6 신문 기사 읽기
7 일기 예보 말하기
8 생각 넓히기

필수
1 날씨에 따른 모습
2 계절에 따른 날씨와 생활
3 미세 먼지와 건강한 생활
4 여러 나라의 날씨와 특징

선택 2
학습 도구
한국어

1 우산을 가지고 다니도록 해요

학습 목표
- 날씨와 날씨 때문에 일어난 일을 말할 수 있다.
- 계절과 날씨의 특징을 말할 수 있다.
- 날씨에 따라 조심해야 할 점을 말할 수 있다.

- 날씨가 어떨 거 같아요?
- 날씨에 따라 주의할 점은 무엇이에요?

1. 날씨를 나타내는 말입니다. 그림을 보고 말해 봅시다.

1) 날씨가 어때요? 듣고 가리켜 보세요. 그리고 써 보세요. 💿 1

_____ 가 내리다

_____ 이 오다

구름이 끼다

눈이 내리다

_____ 가 지다

2) 그림을 가리키며 아래와 같이 친구와 이야기해 보세요.

날씨가 어때요?

소나기가
내렸어요.

2. 날씨 때문에 일어날 일입니다. 말해 봅시다.

길이 눈으로 덮이다

비바람이 불다

소나기가 내렸어요.
그래서 무지개가 떴어요.

하늘이 흐리다

강물이 넘치다

무지개가 뜨다

1) 무슨 일이 일어났어요? 듣고 가리키고 따라 하세요. 💿 2

2) 날씨 때문에 일어난 일을 〈보기〉와 같이 말해 보세요.

〈보기〉　소나기가 내렸어요. 그래서 무지개가 떴어요.

① 장마가 지다/강물이 넘치다　　　② 구름이 끼다/하늘이 흐리다
③ 눈이 내리다/길이 눈으로 덮이다　　④ 태풍이 오다/비바람이 불다

3. 그림을 가리키며 〈보기〉와 같이 이야기해 봅시다.

〈보기〉

리암: 오늘 날씨가 어때요?
아이다: 오늘은 소나기가 내렸어요.
리암: 소나기가 내려서 어땠어요?
아이다: 소나기가 내려서 무지개가 떴어요.

①

②

② 계절에 따른 날씨와 생활

1. 계절의 특징을 말해 봅시다.

따뜻해지다

포근하다
졸리다

무덥다
지치다

더워지다

봄 여름
겨울 가을

추워지다

쌀쌀하다
감기에 잘 걸리다

건조하다
산불이 잘 나다

시원해지다

1) 듣고 가리키고 따라 하세요. 💿 3

2) 계절이 바뀌면 어떻게 되는지 아래와 같이 말해 보세요.

봄에서 여름이 되면
더워지게 돼요.

더워지다, 시원해지다, 포근하다, 쌀쌀하다, 졸리다, 무덥다, 감기, 지치다, 건조하다, 산불

 -을수록, -게 되다

2. 그림을 연결하고 써 봅시다.

1) 같은 계절끼리 연결해 보세요.

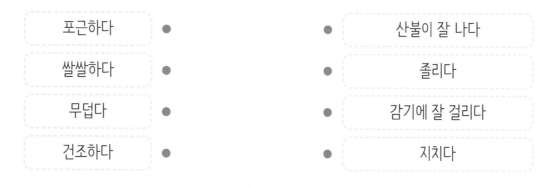

포근하다 ●	● 산불이 잘 나다
쌀쌀하다 ●	● 졸리다
무덥다 ●	● 감기에 잘 걸리다
건조하다 ●	● 지치다

2) 연결한 내용을 보고 〈보기〉와 같이 써 보세요.

〈보기〉   포근하다 ➕ 졸리다 ➡ 포근해질수록 졸리게 돼요.

① --

② --

3. 계절에 따른 날씨와 특징에 대해 이야기해 봅시다.

1) 어느 계절의 특징이에요? 듣고 계절을 써 보세요. 💿 4

①   ②   ③

2) 아래와 같이 친구와 이야기해 보세요.

봄에서 여름으로 갈수록 무더워져.

맞아. 무더울수록 지치게 돼.

③ 미세 먼지와 건강한 생활

1. 신문 기사를 읽고 질문에 답해 봅시다.

콜록콜록 미세 먼지, 이렇게 행동해요

미세 먼지가 점점 심해지고 있어요. 미세 먼지는 크기가 매우 작은 먼지예요. 미세 먼지를 많이 마시면 건강이 나빠질 수 있어요.

미세 먼지가 심해지면 이렇게 행동해요. 첫째, 바깥보다는 실내에서 지내요. 둘째, 집이나 교실의 창문을 닫아요. 셋째, 밖으로 나갈 때에는 꼭 마스크를 쓰도록 해요. 넷째, 밖으로 나갔다가 돌아오면 깨끗하게 씻도록 해요.

이 네 가지 방법을 잘 기억하고 꼭 지키도록 해요. 우리 몸은 소중하니까요.

1) 미세 먼지는 무엇인지 찾아 써 보세요.

　　　미세 먼지는 ------------------------------------.

2) 미세 먼지를 마시면 어떤 일이 생기는지 말해 보세요.

미세 먼지, 행동하다, 건강,
실내, 지내다, 마스크,
소중하다

−도록 하다

2. 미세 먼지에 따른 대처 방안을 말해 봅시다.

1) 어울리는 말을 찾아 연결해 보세요.

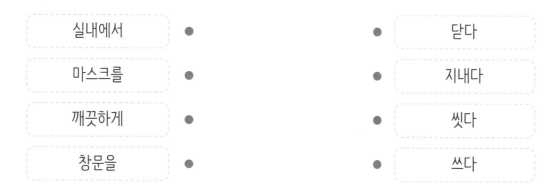

실내에서	•	•	닫다
마스크를	•	•	지내다
깨끗하게	•	•	씻다
창문을	•	•	쓰다

2) 〈보기〉와 같이 주의할 점을 말해 봅시다.

〈보기〉

실내에서 지내도록 해요.

3. 날씨에 따라 조심해야 할 점을 친구와 이야기해 봅시다.

장마가 지면 무엇을
조심해야 할까?

갑자기 비가 내릴 수 있어.
우산을 가지고 다니도록 해.

4 여러 나라의 날씨와 특징

1. 여러 나라의 날씨와 그 특징을 보면서 말해 봅시다.

1) 날씨와 특징이 어때요? 가리키고 말해 보세요.

2) 아래와 같이 날씨를 묻고 답해 보세요.

이 나라는 날씨가 어때?

여기는 일 년 내내 추워.

사막, 사계절, 뚜렷하다,
내내, 밀림, 습하다

2. 날씨와 그 특징을 연결하여 말해 봅시다.

1) 관계있는 것끼리 연결해 보세요.

비가 조금만 내린다	●	●	사막이 많다
일 년 내내 춥다	●	●	밀림이 많다
일 년 내내 무덥고 습하다	●	●	나무가 자랄 수 없다

2) 연결한 내용을 보고 아래와 같이 말해 보세요.

어떤 나라는 비가
조금만 내려요.

비가 조금만 내리면
사막이 많아지게 돼요.

3. 나라를 가리키고 날씨의 특징에 대해 말해 봅시다.

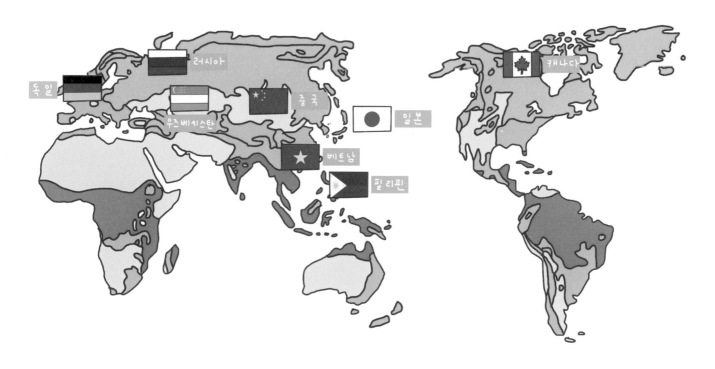

⑤ '계절이 되면' 놀이 하기

1. 계절과 날씨에 알맞은 행동을 말해 봅시다.

1) 듣고 빈칸에 알맞은 말을 〈보기〉에서 골라 써 보세요. 💿 5

| 〈보기〉 | 소나기 | 비바람 | 우산 | 태풍 |

내일은 (   )이/가
내린다고 해요.
바깥으로 나갈 때에는
(   )을/를 꼭 챙겨요.

다음 주부터
(   )이/가 온다고 해요.
시원해질 거예요.

2) 낱말을 사용하여 〈보기〉처럼 말해 보세요.

여름이 되니까
점점 무더워져.

그럴수록 지치게
되는 것 같아.

무더울수록 물을
많이 마시도록 하자.

〈보기〉

무덥다   지치다   물을 많이 마시다

① 가을

건조하다   산불이 잘 나다   불조심하다

② 겨울

쌀쌀하다 　　 감기에 잘 걸리다 　　 따뜻한 옷을 입다

③ 봄

포근하다 　　 졸리다 　　 충분히 잠을 자다

2. '계절이 되면' 놀이를 해 봅시다.

'여름'이 되면
'소나기도 오고'

'여름'이 되면
'무더워지고'

'여름'이 되면
'수영장에 가고'

〈놀이 방법〉

① 계절에 따른 여러 모습을 생각해요.
② 다 함께 팔꿈치를 흔들면서 '계절이 되면 계절이 되면'
　 노래를 불러요.
③ 처음에 시작하는 사람이 사계절 중 하나를 정해서 말해요.
④ 돌아가면서 '계절'이 되면 '계절의 특징'을 말해요.

6 신문 기사 읽기

1. 신문 기사를 읽고 질문에 답해 봅시다.

1) 읽어 보세요.

착한 일꾼, 태풍

태풍이 오면 비가 많이 오고 바람도 거세게 불어요. 그래서 태풍이 오면 많은 사람이 다치기도 해요. 그런데 태풍은 과연 나쁘기만 할까요?

태풍은 여러 가지 일을 해요. 태풍이 하는 일은 첫째, 지구의 뜨거운 열이 골고루 퍼지도록 도와요. 더운 곳에서 만들어진 태풍이 점차 추운 곳으로 움직이기 때문이에요. 둘째, 건조한 날씨를 해결해 줘요. 태풍이 오면 비가 많이 내리기 때문이에요. 셋째, 더러운 공기를 깨끗하게 바꿔 줘요. 거센 바람이 더러운 공기를 날려 보내기 때문이에요. 태풍은 항상 피해만 주지는 않아요. 태풍도 지구를 위해 열심히 일하는 착한 일꾼이에요.

2) 맞으면 ○, 틀리면 ✕표를 해 보세요.

- 태풍이 오면 날씨가 맑아진다. (   )
- 태풍은 여러 가지 일을 한다. (   )

3) 빈칸에 알맞은 말을 찾아서 써 보세요.

지구의 열이 골고루 퍼지도록 도와요.

태풍의 역할

2. 태풍의 역할을 아래와 같이 간단히 요약해 봅시다.

1) 관계있는 것끼리 연결해 보세요.

비가 많이 내려요 ●   ● 더러운 공기를 깨끗하게
                                        바꿔 줘요

더운 곳에서
추운 곳으로 움직여요 ●   ● 건조한 날씨를
                                        해결해 줘요

더러운 공기를
날려 보내요 ●   ● 지구의 열이 골고루
                                        퍼지도록 도와요

2) 태풍의 역할에 대해 말해 보세요.

태풍은 지구를 위해 일하는 착한 일꾼이에요.
태풍은 여러 가지 일을 해요. 첫째……

7 일기 예보 말하기

1. 장마철 일기 예보를 듣고 질문에 답해 봅시다.

1) 그림을 가리키며 날씨를 말해 보세요.

2) 듣고 지도의 빈칸에 날씨를 써 보세요. 🎧 6

3) 읽고 빈칸에 알맞은 낱말을 써 보세요.

장마가 몰려오고 있습니다.

제주는 (   )와/과 함께 소나기가 내리겠습니다.

광주와 부산도 하루 종일 (   )이/가 내리겠습니다.

대구와 대전은 구름이 많아 (   ).

서울은 맑겠습니다. 지금까지 날씨를 전해 드렸습니다.

2. 그림을 보며 일기 예보를 써 봅시다.

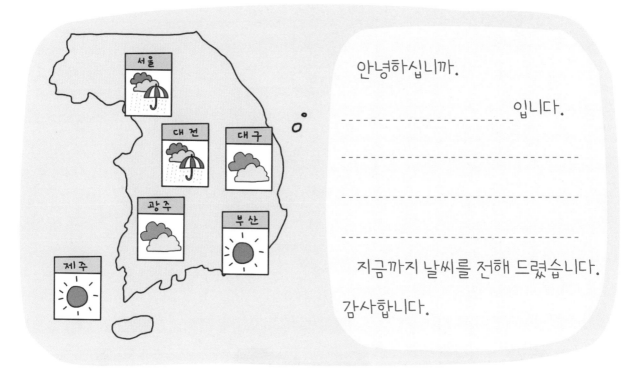

안녕하십니까.

_____ 입니다.

지금까지 날씨를 전해 드렸습니다.

감사합니다.

3. 쓴 내용을 발표해 봅시다.

----

⑧ 생각 넓히기

1. 장마철에 일어나는 일을 말해 봅시다.

1) 장마철 날씨 때문에 일어나는 일을 연결해 보세요.

비나 소나기가 많이 내려서

강물이 넘치면

날씨가 습해지면

땅이 약해지면

길이 물에
잠겨요.

산사태가
일어나요.

집 안에
곰팡이가 생겨요.

2) 연결한 내용을 보고 말해요.

장마철에는 비나 소나기가 많이
내려요. 그래서 강물이 넘치면
길이 물에 잠겨요.

2. 장마 피해를 막기 위한 방법을 말해 봅시다.

1) 〈보기〉에서 알맞은 낱말을 찾아 빈칸에 써 보세요.

〈보기〉　　　　장화　　　　　창문　　　　안전한 곳

장마 피해를 막으려면

- (　　　　　　　　)으로/로 피해요.
- 밖으로 나갈 때는 (　　　　　　)을/를 신어요.
- 날씨가 맑아지면 (　　　　　　)을/를 열어요.

2) 장마철에 일어나는 일과 피해를 막는 방법을 찾아 쓰세요.

길이 물에 잠겨요. ➡ 밖으로 나갈 때는 장화를 신어요.

산사태가 일어나요. ➡

집 안에 곰팡이가 생겨요. ➡

3) 쓴 내용을 보고 말해 보세요.

장마철에는 길이 물에 잠길 수 있어요. 밖으로 나갈 때는 장화를 신도록 해요.

선택 1

5 '몸으로 말해요'
　놀이 하기
6 이야기 읽기
7 일기 쓰기
8 생각 넓히기

필수

1 친구와 함께 하는 운동
2 운동회에서 겪은 일
3 운동 약속
4 가족과 함께 간 등산

선택 2

학습 도구
한국어

2

열심히 달렸더니
다리가 아파요

학습 목표
- 친구와 역할을 나누는 말을 할 수 있다.
- 운동한 경험을 이야기할 수 있다.
- 운동 약속을 정할 수 있다.

- 이 물건의 이름이 뭐예요?
- 무슨 운동을 할 때 써요?

친구와 함께 하는 운동

1. 친구들이 운동장에서 운동을 합니다. 그림을 보며 말해 봅시다.

1) 무슨 운동인지 〈보기〉에서 찾아 쓰세요.

〈보기〉　　　줄넘기　　　술래잡기　　　피구

2) 듣고 무슨 운동인지 가리켜 보세요. 📀 7

3) 그림을 가리키며 어떻게 하는 운동인지 말해 보세요.

공을 발로 차는 운동이야.

발로 찬 공을 손으로 막아야 해.

2. 〈보기〉와 같이 이어서 말해 봅시다.

〈보기〉

내가 공을 막을게.　　　　너는 공을 찰래?

➡ 내가 공을 막을 테니까 너는 공을 찰래?

① 내가 줄을 돌릴게.　　　너는 줄을 넘을래?

② 내가 쫓아갈게.　　　너는 도망갈래?

③ 내가 공을 던질게.　　　너는 공을 피할래?

3. 친구와 함께 역할을 정해서 운동을 해 봅시다.

줄은 누가 돌리지?

나는 줄을 넘고 싶어.

우리가 줄을 돌릴 테니까 먼저 줄을 넘을래?

그래, 고마워.

운동회에서
겪은 일

1. 나래초등학교 운동회가 열렸습니다. 그림을 보며 말해 봅시다.

1) 듣고 가리키고 따라 하세요. 🎧 8

2) 누가 무엇을 하고 있어요? 가리키며 말해 보세요.

> 저밍이 콩 주머니를
> 던지고 있어요.

2. 운동회를 마치고 어디가 아픈지 말해 봅시다.

1) 운동회에서 한 일과 아픈 곳을 연결해 보세요.

| 목이 쉬다 | 손목이 아프다 | 어깨가 아프다 | 팔이 아프다 | 다리가 아프다 |

2) 운동회에서 겪은 일을 〈보기〉처럼 말해 보세요.

〈보기〉

무슨 일이야?

그렇구나.

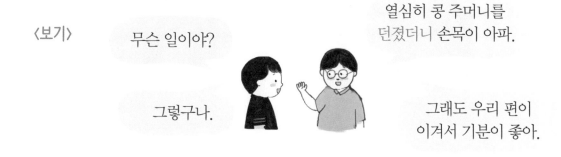

> 열심히 콩 주머니를
> 던졌더니 손목이 아파.

> 그래도 우리 편이
> 이겨서 기분이 좋아.

3. 운동을 하다가 다친 적이 있나요? 친구와 이야기해 봅시다.

1. 아이다와 친구들이 운동 약속을 합니다. 읽고 물음에 답해 봅시다.

1) 누가 무엇을 하고 싶어 하는지 말해 보세요.

2) 무엇을 하기로 결정했는지 써 보세요.

2. 친구와 함께 하는 운동입니다. 이야기해 봅시다.

바깥에서 하는 운동	운동장 배드민턴을 치다	공원 자전거를 타다
안에서 하는 운동	체육관 음악 줄넘기를 하다	스포츠 센터 수영을 하다

1) 어디에서 무슨 운동을 해요? 가리키고 말해 보세요.

2) 아래와 같이 이야기해 보세요.

〈보기〉

가: 학교 끝나고 운동장에서 배드민턴 칠래?
나: 배드민턴 대신에 음악 줄넘기는 어때?
가: 좋아, 그럼 체육관에서 보자.

①   ②

3. 친구와 운동 약속을 해 봅시다.

4 가족과 함께 간 등산

1. 빈센트가 일기를 쓰다 잠이 들었습니다. 글을 읽고 물음에 답해 봅시다.

1) 읽어 보세요.

2○○○년 ○월 ○일 토요일

날씨: 조금 흐림

오늘은 가족 등산을 했다. 나는 일찍 일어나서 씻고 거실로 나갔다. 부모님은 벌써 준비를 마치셨다.

"빈센트, 엄마가 동생을 챙길 테니까 아빠를 도와드리렴."

나는 아빠를 도와 차에 배낭을 실었다. 차를 타고 목적지인 문수산에 도착했다. 우리 가족은 준비 운동을 하고 등산로를 걸었다. 전망대에 도착해 경치를 봤더니 저 멀리 다리가 보였다. 쉼터를 지나 문수사에 왔다. 동생이 발바닥이 아프다고 했다.

나도 오래 걸었더니 다리가 아팠다. 동생의 배낭을 대신 메고 내려왔다. 엄마는 기특하다며 나를 칭찬해 주셨다.

주차장에 돌아와 차에 올라탔……

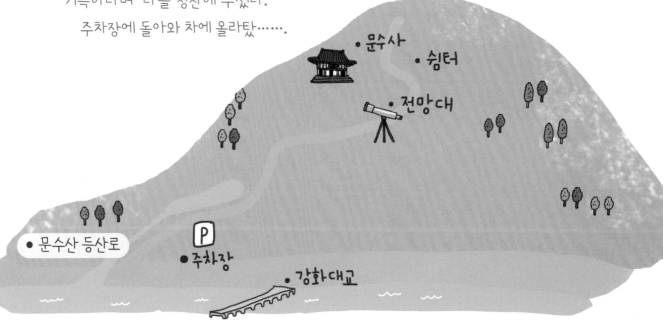

2) 읽은 내용과 맞으면 ○, 틀리면 ×표 해 보세요.

빈센트는 토요일에 가족들과 등산을 다녀왔어요.

문수산 정상에서 동생이 발이 아프다고 했어요.

3) 빈센트 가족이 어디서 무엇을 했는지 붙임 딱지로 붙여 보세요. 붙임 딱지

2. 빈센트가 쓴 글을 마무리 지어 봅시다.

1) 글을 어떻게 이어 썼나요? 빈칸에 알맞은 말을 써 보세요.

전망대에 도착해 경치를 봤다. ＋ 저 멀리 다리가 보였다.

➡ ------------------------------

2) 밑줄 그은 부분을 이어 써 보세요.

주차장에 돌아와 차에 올라탔다. 나도 모르게 잠이 왔다.
매우 힘들었다. 다음에는 꼭 정상까지 올라가야지.

➡ ------------------------------

3. 가족과 함께 운동한 일을 써 봅시다.

⑤ '몸으로 말해요' 놀이 하기

1. 체육 활동 중에 일어난 일을 해결하는 말을 해 봅시다.

1) 듣고 무슨 운동인지 번호를 써 보세요. 💿 9

| 콩 주머니 던지기 | 이인삼각 | 큰 공 굴리기 |

2) 운동 중에 일어난 일과 친구에게 해 줄 말을 연결해 보세요.

넘어지다 · · 공을 두 손으로 잡고 던져 볼래?

공을 놓치다 · · 뛰었을 때 무릎을 구부려 볼래?

줄이 발에 걸리다 · · 공을 끝까지 잘 보고 차 볼래?

3) 연결한 내용을 보고 〈보기〉와 같이 말해 보세요.

〈보기〉

오랜만에 축구공을 찼더니 자꾸 넘어져.

공을 끝까지 보고 차. 내가 찰 테니까 따라 해.

그래? 도와줘서 고마워.

2. '몸으로 말해요' 놀이를 해 봅시다.

〈놀이 방법〉

① 편을 나누어 각각 한 줄로 서세요.
② 맨 끝 친구만 뒤로 돌아서 '운동' 낱말을 보세요.
③ 앞 친구에게 몸으로 '운동'을 설명하세요.
④ 같은 방법으로 앞 친구에게 몸으로 '운동'을 전달하세요.
⑤ 맨 앞 친구가 칠판으로 나와서 '운동' 낱말을 쓰세요.

6 이야기 읽기

1. 그림을 보고 질문에 답해 봅시다.

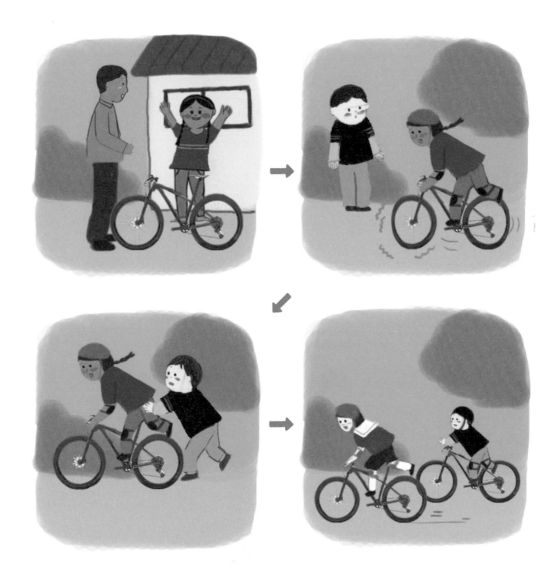

1) 어떤 장면이에요? 그림을 보고 말해 보세요.

2) 무슨 이야기인지 그림을 보고 상상해서 말해 보세요.

2. 이야기 카드를 읽고 질문에 답해 봅시다.

1 "생일 선물로 인라인스케이트는 어떠니?" "아빠, 인라인스케이트 (   ) 자전거를 갖고 싶어요." 아버지께서 생일 선물로 빨간 자전거를 사 주셨어요.

2 "으악! 넘어질 것 같아." 자전거를 처음 타 보았어요. 자전거가 넘어질 것 같았어요.' 자전거 타기는 정말 힘들어요. 그때 요우타를 만났어요.

3 요우타가 저를 보고 말했어요. "내가 뒤에서 잡아 줄 (   ) 다시 타 볼래?" 요우타가 자전거를 뒤에서 잡아 주었어요. 요우타 덕분에 자전거를 타기가 조금 쉬워졌어요.

4 "어때? 이제는 어렵지 않지?" "응. 정말 고마워, 요우타." 이제는 자전거 타기가 참 재미있어요. 내일도 요우타랑 자전거를 타고 싶어요.

1) 빈칸에 들어갈 알맞은 말을 〈보기〉에서 찾아 써 보세요.

> 〈보기〉   테니까   내신에

2) 밑줄 그은 부분을 이어서 써 보세요.

자전거를 처음 타 보았어요.   ✛   자전거가 넘어질 것 같았어요.

➡ -

3. 처음 운동했던 경험을 친구와 이야기해 봅시다.

7 일기 쓰기

1. 빈센트가 쓴 쪽지를 읽어 봅시다.

안녕, 얘들아. 혹시 토요일에 시간 되니?
토요일 오후 2시부터 학교 운동장에서
축구를 하려고 해.
나랑 같이 축구할 사람?

축구하자!

시간: 토요일 오후 2시
장소: 학교 운동장

–빈센트

1) 빈센트가 언제, 어디서, 무엇을 하고 싶어 하는지 말해 보세요.

2) 하미의 생각을 읽고 빈센트처럼 쪽지로 써 보세요.

친구들 안녕! 이어달리기 연습을
함께 할 친구를 찾고 있어.
혹시 일요일에 시간 있는 사람?
일요일 오전 10시부터 운동장에서
연습하려고 해.

2. 친구와 함께 운동 약속을 정해 봅시다.

1) 쪽지를 써서 학급 게시판에 붙여 보세요.

2) 친구가 붙인 쪽지를 읽고 함께 하고 싶은 운동을 골라 표시해 보세요.

3. 친구와 함께 운동을 하고 일기를 써 봅시다.

8 생각 넓히기

1. 전통 놀이입니다. 이야기해 봅시다.

딱지

팽이치기

팽이

딱지치기

공기

공기놀이

1) 무엇을 가지고 하는 놀이예요? 연결해 보세요.

2) 전통 놀이를 해 본 적이 있어요? 친구와 이야기해 보세요.

2. 그림을 보며 딱지를 접어 봅시다.

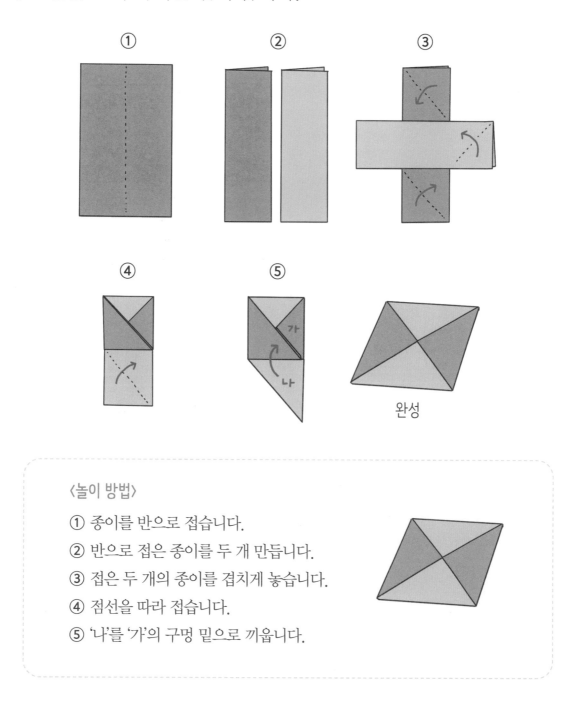

<놀이 방법>

① 종이를 반으로 접습니다.
② 반으로 접은 종이를 두 개 만듭니다.
③ 접은 두 개의 종이를 겹치게 놓습니다.
④ 점선을 따라 접습니다.
⑤ '나'를 '가'의 구멍 밑으로 끼웁니다.

3. 친구와 딱지치기 놀이를 해 봅시다.

선택 1

5 '접어!' 놀이 하기
6 기행문 읽기
7 설명하는 글 쓰기
8 생각 넓히기

필수

1 설날의 모습
2 추석의 풍습
3 기념일에 하고 싶은 일
4 국경일에 찾아간 곳

선택 2

학습 도구
한국어

한복이
참 예쁘더라

학습 목표
• 명절과 기념일에 하는
  일을 말할 수 있다.
• 명절과 기념일에 한 일을
  이야기할 수 있다.

• 무슨 명절과 기념일이 떠올라요?
• 명절과 기념일에는 무엇을 해요?

① 설날의 모습

1. 설날의 모습입니다. 보고 이야기해 봅시다.

널뛰기를 하다

그네를 타다

연날리기를 하다

놀이마을

윷놀이를 하다

한복을 입다

상가 마을

떡국을 먹다

장 터

정 문

차례를 지내다

민속마을

새해 복 많이 받으세요!

사람들이 널뛰기를 하고 있어.

1) 누가 무엇을 하고 있어요? 친구와 말해 보세요.

2) 그림과 비슷한 일을 한 적이 있는지 말해 보세요.

설날, 그네, 한복, 널뛰기,
연날리기, 윷놀이, 떡국,
차례, 입다, 지내다

-더라

2. 그림을 보고 질문에 답해 봅시다.

1) 듣고 알맞은 번호를 써 보세요. 10

한복은 참
예뻐.

연날리기는
정말 신나.

윷놀이는
매우 재미있어.

2) 그림을 가리키며 친구와 다음과 같이 이야기해 보세요.

너도 떡국 먹어 봤어?

아니. 안 먹어 봤어.

나는 지난 설날에 먹었어.
맛있더라.

3. 설날에 하고 싶은 일과 그 까닭을 다음과 같이 말해 봅시다.

넌 설날에 뭘 하고 싶어?

난 한복을 입어 보고 싶어.

왜 입어 보고 싶어?

지난번에 봤는데
참 예쁘더라.

② 추석의 풍습

1. 추석의 풍습입니다. 글을 읽고 질문에 답해 봅시다.

추석은 설날과 더불어 한국의 가장 큰 명절 중의 하나입니다. 추석은 농사를 지어 가을에 거둔 곡식에 대해 감사하는 날입니다. 사람들은 곡식으로 음식을 만들어 조상에게 차례를 지냅니다.

추석에는 다양한 풍습이 있습니다. 먼저 음식과 관련된 풍습이 있습니다. 추석에는 송편을 빚는데 쌀가루로 둥글게 만듭니다.

또한 놀이와 관련된 풍습도 있습니다. 추석에는 씨름을 하는데 씨름은 두 사람이 서로 힘을 겨루는 놀이입니다.

추석에는 음식을 만들어 먹고 놀이도 합니다. 이러한 풍습은 가족, 친척, 마을 사람들을 하나로 묶어 줍니다.

1) 추석은 어떤 날인지 말해 보세요.

2) 알맞은 말을 〈보기〉에서 찾아 빈칸에 써 보세요.

〈보기〉 ● 곡식을 거두다 ● 씨름을 하다 ● 차례를 지내다 ● 송편을 빚다

2. 추석의 풍습을 아래와 같이 이어 써 봅시다.

추석에는 씨름을 합니다. ✚ 씨름은 두 사람이 서로 힘을 겨루는 놀이입니다.

➡ 추석에는 씨름을 하는데 씨름은 두 사람이 서로 힘을 겨루는 놀이입니다.

추석에는 송편을 빚습니다. ✚ 송편은 쌀가루로 둥글게 만듭니다.

➡ _____

3. 추석의 풍습에 대해 이야기해 봅시다.

추석에는 무엇을 먹어요?

추석에는
무엇을 하고 놀아요?

추석에는…….

③ 기념일에 하고 싶은 일

1. 기념일에 하는 일에 대해 친구와 이야기해 봅시다.

놀이공원에 가다

선물을 받다

체육 대회를 하다

1) 무슨 기념일인지 말해 보세요.

2) 기념일에 무엇을 하는지 말해 보세요.

어린이날

어린이날에는
놀이공원에 가요.

어버이날에는
집안일을 도와요.

어버이날

2. 듣고 이야기해 봅시다.

1) 잘 듣고 리암이 올해 하고 싶은 일을 말해 보세요. 🎧 11

58 • 의사소통 한국어 4

기념일, 어린이날, 선물,
어버이날, 체육 대회,
집안일, 돕다, 카네이션

-곤 하다

집안일을 돕다

노래를 불러 드리다

카네이션을 접어서 드리다

2) 친구와 〈보기〉처럼 이야기해 보세요.

어버이날에는 주로
무엇을 했어?

나는 집안일을 돕곤 했어.
이번에는 카네이션을
접어서 드리고 싶어.

〈보기〉
　① 어린이날/선물을 받다/놀이공원에 가다
　② 어버이날/노래를 불러 드리다/집안일을 돕다

3. 기념일에 하고 싶은 일을 써 봅시다.

곧 있으면 어버이날이에요.
우리 형제는 어버이날에 카네이션을 접어서
드리곤 했어요. 이번에는 집안일을 돕고 싶어요.

4 국경일에 찾아간 곳

1. 국경일에 무엇을 했는지 이야기해 봅시다.

나는 작년 광복절에 광화문 광장에 갔어요.

기념행사를 보다

태극기 그리기 체험
태극기를 그리다

애국가를 부르다

1) 누가, 언제, 어디를 갔는지 말해 보세요.

2) 성우가 어디에서 무엇을 했는지 〈보기〉와 같이 말해 보세요.

〈보기〉   성우는 광화문 광장에서 기념행사를 봤어요.

글자로 이름을 만들다

한글을 예쁘게 꾸미다

나는 작년 한글날에
한글박물관에 갔어요.

2. 그림을 가리키며 〈보기〉처럼 이야기해 봅시다.

우리 지난 한글날에
어디를 갔지?

〈보기〉

한글박물관에 갔어.

한글박물관에 가서
무엇을 했지?

한글을 예쁘게
꾸몄던 기억이 나.

3. 겪은 일을 쓰고 친구와 말해 봅시다.

내 생일날에 집에서
축하 잔치를 했던 적이 있어.

정말? 나는 생일에 감기에
걸려서 아팠던 기억이 나.

⑤ '접어!' 놀이 하기

1. 명절과 기념일에 하는 일을 말해 봅시다.

1) 빈칸에 알맞은 말을 〈보기〉에서 골라 쓰세요.

〈보기〉
- 윷놀이를 하다
- 그네를 타다
- 씨름을 하다
- 한복을 입다
- 떡국을 먹다
- 카네이션을 접어서 드리다

2) 〈보기〉의 말을 사용하여 아래처럼 말해 보세요.

설날은 한국의 명절인데
설날에는 한복을 입곤 해요.

광복절에 광화문 광장에 갔는데,
애국가를 불렀던 기억이 나요.

〈보기〉
① 추석/명절/씨름
② 한글날/한글박물관에 가다/한글을 예쁘게 꾸미다

2. '접어!' 놀이를 해 봅시다.

나는 설날에 떡국을
세 그릇 이상 먹었던 적이 있어.
접어!

〈보기〉

나는 어버이날에 부모님께
편지를 쓰곤 했어요.
접어!

〈놀이 방법〉
① 명절이나 기념일에 한 일을 생각해요.
② 내 순서가 되면 '-었던'이나 '-곤 하다'를 넣어서 〈보기〉처럼 외쳐요.
③ 똑같은 일을 했으면 손가락을 하나씩 접어요.
④ 마지막까지 손가락을 펴고 있는 사람이 승리!

6 기행문 읽기

1. 아이다가 쓴 글을 읽고 질문에 답해 봅시다.

국립한글박물관을 다녀와서

저는 한글날에 항상 늦잠을 자곤 했어요. 한글날은 쉬는 날이기 때문이에요. 그러나 이번에는 친구 성우와 함께 국립 한글박물관에 다녀왔어요.

국립한글박물관은 매우 컸어요. 볼 것도 많고 할 것도 많았어요. 성우는 한글 놀이터로 갔는데 낱말을 예쁘게 꾸미는 활동을 했어요. 저는 한글 배움터로 갔어요. 글자들을 붙여서 이름을 만들었는데 재미있었어요.

어느새 집에 갈 시간이 되어서 서둘러 나왔어요. 아쉬운 마음을 가진 채 집으로 돌아왔어요. 다음에 또 가고 싶어요.

1) 아이다와 성우가 언제, 어디로 갔는지 말해 보세요.

2) 아이다가 한 일을 말해 보세요.

2. 어디서 무엇을 했는지 붙임 딱지를 붙여 봅시다. 붙임 딱지

3. 다녀온 곳에 대해 말해 봅시다.

1) 질문에 답해 보세요.

언제 갔어요?　　　어디로 갔어요?　　　무엇을 했어요?

2) 다녀온 곳에 대해서 아래와 같이 말해 보세요.

한글날에 한글박물관에 갔는데
글자를 붙여서 이름을 만들었어요.

7 설명하는 글 쓰기

1. 요우타와 아빠의 대화를 듣고 물음에 답해 봅시다. 12

1) 아빠는 무슨 명절에 대해 말하고 있어요?

2) 일본 사람들은 무엇과 비슷한 음식을 먹는지 써 보세요.

2. 부모님 나라의 명절에 대해 써 봅시다.

1) 부모님께 무엇을 질문할지 읽어 보세요.

명절 이름은 뭐예요?

무엇을 먹어요? 뭐 하고 놀아요?

누구와 만나요?

2) 부모님 나라의 명절을 설명하는 글을 써 보세요.

----

3. 쓴 글을 친구들 앞에서 발표해 봅시다.

부모님 나라의 명절에 대해서 발표하겠습니다.

8 생각 넓히기

1. 세배하는 법을 배워 봅시다.

1) 그림을 보고 따라 하세요.

남자

① 왼손이 위로 가게 손을 모아요.

② 손을 가슴까지 올려요.

③ 손을 바닥에 짚고 엎드려요.

④ 일어선 다음에 인사해요.

2) 주의할 점을 익혀요.

여자

① 오른손이 위로 가게 손을 모아요.

② 손을 어깨까지 올려서 이마에 붙여요.

③ 무릎을 꿇으며 앉아요.

④ 몸을 앞으로 숙여서 인사를 하고 일어서요.

2. 친구들과 서로 세배를 해 봅시다.

〈활동 방법〉

① 음악이 시작되면 교실을 자유롭게 돌아다녀요.

② 친구와 마주치면 서로 가위바위보를 해요.

③ 진 사람이 이긴 사람에게 세배를 해요.

④ 서로 잘못된 세배 동작을 바르게 고쳐 줘요.

선택 1
5 '짝 찾기' 놀이 하기
6 이야기 읽기
7 제안하는 글 쓰기
8 생각 넓히기

필수
1 친구와 함께 하는 활동
2 현장 체험 학습
3 봉사 활동 제안하기
4 모둠 역할 정하기

선택 2
학습 도구
한국어

4

피곤하기는 하지만 행복해요

학습 목표
- 친구와 함께 하는 모임 활동을 말할 수 있다.
- 모임 활동을 제안하는 말을 할 수 있다.
- 친구와 협동하기 위한 말을 할 수 있다.

- 무엇을 하고 있어요?
- 어떤 점이 달라요?

1 친구와 함께 하는 활동

1. 친구와 함께 하는 활동에 대해 이야기해 봅시다.

그리기

좋아하는 것을
골라서 그리다

요리하기

여러 재료를
가지고 요리하다

글짓기

생각과 느낌을
글로 쓰다

독서하기

책을 빌려 읽다

만들기

찰흙으로 다양한
모양을 빚다

1) 듣고 가리키고 따라 쓰세요. 🎧 13

2) 활동에 대해 〈보기〉와 같이 엄마와 이야기해 보세요.

〈보기〉

선생님께서 그리기 시간에는
무슨 활동을 한다고 하셨니?

좋아하는 것을 골라서
그린대요.

그리기, 요리하기, 재료,
글짓기, 독서하기, 빌리다,
만들기, 찰흙, 물감, 준비하다

–는대요, –으래요

2. 관계있는 것끼리 연결하고 말해 봅시다.

1) 활동에 필요한 일을 연결해 보세요.

찰흙을 준비하다	책을 빌리다	연필과 공책을 챙겨 오다	물감을 가져오다	요리 재료를 준비하다

| 요리하기 | 글짓기 | 그리기 | 독서하기 | 만들기 |

2) 연결한 내용을 보고 아래와 같이 이야기해 보세요.

친구와 만들기 활동을 하는구나.
필요한 것은 없니?

선생님께서 찰흙을
미리 준비하래요.

3. 하고 싶은 활동을 골라 아래와 같이 이야기해 봅시다.

빈센트, 내일은 여러 재료를
가지고 요리한대.
나랑 같이 할래?

그래, 같이 하자.
혹시 미리 해야 할 것은 없어?

요리 재료를
미리 준비하래.

② 현장 체험 학습

1. 체험 학습을 가려고 합니다. 말해 봅시다.

천문대

별자리를 보다
달을 보다

놀이공원

놀이 기구를 타다

영화관

영화를 보다

동물원

동물을 구경하다

극장

연극을 보다

1) 듣고 가리키고 따라 하세요. 🔘14

2) 무엇을 하고 싶어요? 아래와 같이 말해 보세요.

체험 학습으로
어디를 가고 싶니?

별자리를 보러
천문대에 가고 싶어요.

천문대, 별자리, 달,
놀이 기구, 영화관,
구경하다, 극장, 연극

 -재요

2. 친구의 생각을 전하는 말을 해 봅시다.

1) 친구들이 가고 싶은 곳과 하고 싶은 활동을 써 보세요. 💿 15

이름	가고 싶은 곳	하고 싶은 활동
아이다	놀이공원	
성우		동물을 구경하다
아비가일		

2) 〈보기〉를 이용하여 아래와 같이 친구의 말을 전해 보세요.

친구들과 어디를
가고 싶니?

아이다는 놀이공원으로 가재요.
저도 아이다와 같이
놀이 기구를 타고 싶어요.

〈보기〉

① 아비가일/천문대/달을 보다   ② 자르갈/극장/연극을 보다   ③ 촘푸/동물원/동물을 구경하다

3. 그림을 보고 친구들이 가고 싶은 체험 학습을 말해 봅시다.

① ② ③

③ 봉사 활동 제안하기

1. 학교 누리집 게시판에 쓴 글을 읽고 물음에 답해 봅시다.

이름	저밍	올린 날짜	○○-○○-○○
제목	봉사 활동을 제안해요.		
내용	안녕하세요. 저는 2학년 1반 저밍이에요. 우리 학교는 해마다 한마당 축제를 열어요. 작년에도 열심히 연습해서 무대 위에서 연극 공연을 했어요. 공연을 마치고 박수를 받으니 정말로 기분이 좋았어요. 이번 축제에는 요양원의 할머니, 할아버지도 초대하는 게 어때요? 우리 학교 근처에 요양원이 있는데 할머니, 할아버지께서 아이들을 정말로 좋아하세요. 보람찬 나래초 한마당 축제를 위해 제안해요.		

1) 저밍이 연극을 마치고 기분이 어땠는지 말해 보세요.

2) 저밍이 무엇을 제안했는지 써 보세요.

3) 제안한 까닭은 무엇인지 말해 보세요.

2. 요양원의 할머니, 할아버지를 위한 봉사 활동을 말해 봅시다.

청소를 돕다

어깨를 주물러 드리다

책을 읽어 드리다

내가 할 수 있는
봉사 활동에는
무엇이 있을까?

1) 그림을 가리키며 〈보기〉와 같이 봉사 활동을 제안해 보세요.

〈보기〉

무엇을 도와드릴
수 있을까요?

청소를 돕는 게
어때요?

2) 〈보기〉와 같이 봉사 활동을 하고 난 후의 소감을 말해 보세요.

① 피곤하다/기분이 좋다
② 힘들다/재미있다
③ 지치다/보람차다

봉사 활동을 하고
나니까 어때요?

〈보기〉

어렵기는 했지만
재미있었어요.

3. 봉사 활동을 계획해 봅시다.

도서관에서 책을
정리하는 활동은 어때?

좋은 생각이야. 책이 무겁기는
하지만 함께 하면 즐거울 거야.

4 모둠 역할 정하기

1. 아이다네 학급의 모둠 역할입니다. 읽고 이야기해 봅시다.

1) 누가 어떤 역할을 해요? 그림을 가리키며 〈보기〉와 같이 말해 보세요.

> 〈보기〉   기록이는 기록한 내용을 발표해요.

2) 그림을 가리키며 〈보기〉와 같이 필요한 역할을 이야기해 보세요.

〈보기〉

기록이는 왜 필요해요?

우리 반 모둠에는 기록이가 필요해요.

기록한 내용을 발표하기 위해서 필요해요.

2. 모둠 역할에 따라 알맞은 말을 익혀 봅시다.

1) 누가 주로 하는 말일까요? 알맞은 모둠 역할을 빈칸에 써 보세요.

그럼 지금부터
발표하겠습니다.

복도에서는
걸어 다녀야 해.

내가 나누어 줄게.

그럼 아이다부터
돌아가면서 말해 볼까?

2) 다음 상황에 적절한 말을 골라서 말해 보세요.

① 지민이 모둠부터
발표해 보세요.

② 준비물을 친구에게
나누어 주세요.
응! 고마워.

③ 모둠 토론을 시작할게요.
나! 나!
그럼 누가
먼저 말할까?

④

3. 우리 모둠의 역할을 정하고 말해 봅시다.

서로 돕는 모둠을 만들기
위해서 함께 역할을 정해 보자.

좋아, 그럼 지킴이는
누가 하는 게 좋을까?

책임감이 강한
성우는 어때?

5 '짝 찾기' 놀이 하기

1. 친구의 방과 후 활동을 묻고 대답해 봅시다.

1) 〈보기〉와 같이 친구의 방과 후 활동을 묻고 대답해 보세요.

〈보기〉

무슨 방과 후 활동을 해?

나는 글짓기 교실을 하고 있어.

글짓기 교실을 고른 까닭이 뭐야?

글을 좀 더 잘 쓰기 위해서 골랐어.

2) 친구의 방과 후 활동을 듣고 빈칸에 써 보세요.

이름	방과 후 활동	방과 후 활동을 선택한 까닭
지민	글짓기 교실	글을 좀 더 잘 쓰기 위해서

교실을 돌아다니면서 친구들과 서로 묻고 답해 보세요.

같은 방과 후 활동을 하는 친구는 누군지 찾아보세요.

3) 친구의 방과 후 활동을 소개하는 이야기를 나누어 보세요.

저밍은 요리하는 법을 배우고 싶어서 요리 교실에 들어갔대.

하미는 다양한 책을 읽기 위해서 독서 교실에 들어갔대.

2. '짝 찾기' 놀이를 해 봅시다. 부록

요우타도 글짓기 교실이래요.

하미는 글짓기 교실에 들어갔대요.

이 카드는 우리가 가져갈게.

〈놀이 방법〉

① 12장의 빈 카드를 준비해요.
② 3장에는 친구의 이름, 3장에는 방과 후 활동의 이름을 써요.
③ 위와 똑같이 쓴 카드를 한 묶음 더 만들어요.
④ 카드를 뒤집어서 섞어요. 그리고 1장씩 넓게 펼쳐 놓아요.
⑤ 카드 2장을 골라요. 카드를 뒤집으면서 "○○는 ○○래요."
   또는 "○○는 ○○에 들어갔대요."라고 말해요.
⑥ 같은 짝을 찾으면 카드를 가져가요. 서로 다른 카드면 다시
   원래대로 뒤집어요.

6 이야기 읽기

1. 지하철에서 벌어진 일을 읽고 물음에 답해 봅시다.

열차를 움직인 힘

지난 2003년 열차와 승강장 사이에 한 남자의 몸이 끼이는 사고가 발생했어요. 지켜보던 많은 사람들은 어쩔 줄을 몰라 허둥거렸어요. 이때 한 아저씨가 그 남자를 구하기 위해서 열차를 밀었어요. 그러자 아주머니 한 분이 그 아저씨를 도와 열차를 밀기 시작했어요. 이어서 중학생 한 명도 달려와 열차를 밀었어요. 그러자 이들의 모습을 본 많은 사람들이 우르르 몰려들어 열차를 밀기 시작했어요.

마침내 열차가 옆으로 기우뚱하며 틈이 벌어졌어요. 그리고 열차와 승강장 사이에 끼어 있던 남자를 구할 수 있었어요.
혼자서는 무거운 열차를
움직일 수 없었을 거예요.
그러나 두 사람, 세 사람,
여러 사람이 힘을 합치니까
무거운 열차도 움직일 수
있었어요.

1) 남자에게 무슨 일이 벌어졌는지 말해 보세요.

2) 무엇이 열차를 움직인 힘이 되었는지 말해 보세요.

2. 일이 일어난 순서대로 번호를 써 봅시다.

①	많은 사람들이 열차를 밀다.
②	열차를 움직여 남자를 구하다.
③	아저씨와 아주머니가 열차를 밀다.
④	열차와 승강장 사이에 남자의 몸이 끼이다.

3. 협동해서 문제를 해결한 경험을 이야기해 봅시다.

매트가 참 무거웠는데
너와 함께 들어서 무겁지 않았어.

맞아, 서로가 힘을 모은 덕분이야.

7 제안하는 글 쓰기

1. 리암의 반에서 일어난 일입니다. 친구와 이야기해 봅시다.

1) 무슨 일이 일어났는지 말해 보세요.

2) 비슷한 일을 겪은 적이 있는지 이야기해 보세요.

2. 리암이 학급 게시판에 쓴 글을 읽고 질문에 답해 봅시다.

우유 상자 안에서 우유가 또 새어 나왔어요. 오늘도 지민이가 상자를 들다가 바지에 우유가 묻었어요. 바닥에도 우유가 떨어져서 냄새가 났어요.

어떻게 하면 우유갑을 깨끗하게 정리할 수 있을까요?

1) 무엇이 문제인지 말해 보세요.

2) 아래를 보고 지민이가 쓸 내용을 말해 보세요.

우유갑을 씻고
바르게 세워서 놓자.

3. 제안하는 글을 써 봅시다.

1) 지민이가 되어서 제안하는 글을 마무리해 보세요.

> 우유갑을 아무렇게나 던지는 친구들이 있어서 우유가 새고 냄새가 나요. 그래서 우유갑을 깨끗하게 정리하기 위한 방법을 제안해요.

- -

- -

- -

2) 제안하고 싶은 일을 떠올려 글을 써 보세요.

1. 포스터를 보고 이야기해 봅시다.

젓가락 하나는 쉽게 부러져요.

하지만

젓가락들이 모여 뭉치면 튼튼해져요.

1) 젓가락이 쉽게 부러지지 않는 까닭은 무엇인지 말해 보세요.

2) 이 포스터는 무엇을 말하고 있는지 이야기해 보세요.

2. 속담을 읽고 이야기해 봅시다.

1) 무슨 뜻인가요?
   이야기해 보세요.

백지장도 맞들면 낫다

2) 어떤 상황에서 사용하는 말일지 이야기해 보세요.

① ② ③

또 어떤 상황이 어울릴까요?

3. 알맞은 속담을 넣어서 말해 봅시다.

친구야, 고마워.

- - - - - - - - - - - - - - - - - - -
- - - - - - - - - - - - - - - - - - -

같이 들고 가자.

선택 1

5 '짝 찾기' 놀이 하기
6 감사 편지 쓰기
7 신문 상담 글 읽기
8 생각 넓히기

필수

1 처음 만난 친구
2 고마운 친구
3 내가 그렇게 한 이유
4 거절하는 방법

선택 2

학습 도구
한국어

학습 목표
• 친구에게 고마움을 표현할
  수 있다.
• 자신이 한 일의 이유를
  말할 수 있다.

• 언제 친구에게 고마움을 느꼈어요?

• 어떤 일로 친구에게 섭섭했어요?

1. 전학 온 친구의 기분이 어땠는지 말해 봅시다.

1) 듣고 따라 해 보세요. 🎧 16

2) 아래처럼 대화해 보세요.

> 가: 리암은 지금 기분이 어때요?
>
> 나: 쑥스러워요.

쓱스럽다, 부끄럽다,
불안하다, 창피하다,
당황스럽다

 –을까 봐

2. 1의 그림을 보며 친구와 〈보기〉와 같이 대화해 봅시다.

〈보기〉
가: 너는 처음 전학 왔을 때 기분이 어땠어?
나: 나는 좀 불안했어.
가: 그랬구나. 왜 불안했어?
나: 친구들이 나를 안 좋아할까 봐 그랬어.

① 당황스럽다 – 피부색이 달라서 친구들이 이상하게 생각하다
② 창피하다 – 나만 한국어를 못하다
③ 부끄럽다 – 한국어 발음을 틀리다

3. 처음 전학 왔을 때 기분이 어땠는지 이야기해 봅시다.

제가 처음에 우리 학교에
전학 왔을 때는 좀 불안했어요.
한국말도 잘 모르고, 친구들이
저를 안 좋아할까 봐 그랬어요.
그런데 지금은 한국말도 잘 하게 됐고,
친구들하고도 잘 지내요.

② 고마운 친구

1. 편지를 읽고 질문에 답해 봅시다.

1) 들고 따라 해 보세요. 🔘 17

2) 누가 누구에게 쓴 편지예요?

지민이에게

지난번 알림장을 쓸 때 도와줘서 정말 고마워.

한국어가 익숙하지 않았는데, 네가 알기 쉽게

설명해 준 덕분에 쉽게 이해했어. 그때 참 감동

했어.

학교생활이 어렵지만 너처럼 좋은 친구가 있어

서 안심이 돼.

그런데 너 글씨가 참 예쁘더라. 그럼, 또 만나자.

너의 친구 리암으로부터

3) 다음과 같이 대화해 보세요.

> **가:** 친구가 도와줬을 때 기분이 어땠어요?
>
> **나:** 그때 참 감동했어요.

2. 〈보기〉와 같이 문장을 연결해 친구에게 고마운 점을 말해 봅시다.

〈보기〉

알기 쉽게 설명해 주다/쉽게 이해하다

➡ 알기 쉽게 설명해 준 덕분에 쉽게 이해했어.

① 준비물을 다 챙겼는지 전화해 주다/잊지 않고 잘 챙기다

➡ _____

② 병문안을 와 주다/기운이 나다

➡ _____

③ 학교 여기저기를 안내해 주다/학교생활에 익숙해지다

➡ _____

3. 친구에게 감사 편지를 써 봅시다.

하미에게

지난주에 준비물을 다 챙겼는지 전화해 준 덕분에
잊지 않고 잘 챙겼어. 그때 참 든든했어. 고마워.

너의 친구 리암으로부터

③ 내가 그렇게 한 이유

1. 그림을 보고 이야기해 봅시다.

잃어버린 물건을 찾다

동생을 달래다

친구와 수다를 떨다

왜 전화를 안 받지?

숙제를 하다

심부름을 하다

놀이터에서 놀다

1) 듣고 가리키며 따라 하세요. 💿 18

2) 그림을 보며 친구와 다음과 같이 묻고 답해 보세요.

> **가:** 전화가 왔을 때 저밍은 무엇을 하고 있었어요?
> **나:** 엄마 심부름을 하고 있었어요.

3) 잘 듣고 따라 하세요. 💿 19

2. 그림을 보고 지민이의 전화를 못 받은 이유를 말해 봅시다.

> 〈보기〉
>
> 가: 어제 무슨 일이 있었어? 왜 전화를 안 받았어?
> 나: 미안해. 친구와 수다를 떠느라고 못 받았어.

① ② ③ ④ ⑤

3. 이유를 말해 봅시다.

1) **선생님**: 숙제를 왜 안 했어요?

   나: _____느라고 못 했어요.

2) **친구**: 약속 시간에 왜 이렇게 늦게 나왔어?

   나: _____.

3) **엄마**: 왜 방 정리를 아직까지 안 했니?

   나: _____.

④ 거절하는 방법

1. 잘 듣고 이야기해 봅시다.

이번에도 내가 던질게.

번갈아 하다

오늘 수업 끝나고
운동장에서 축구할래?

다음으로 미루다

우리 주말 약속
잊지 않았지?

약속을 다시 정하다

식판을 들 수
있겠어?

대신해 주다

너도 한번 넣어 볼래?

시범을 보여 주다

1) 듣고 따라 하세요. 💿 20

2) 아래와 같이 대화해 보세요.

> 가: 어떻게 하는 게 좋겠어?
>
> 나: 번갈아 하는 게 좋겠어.

번갈아 하다, 다음으로 미루다, 약속을 다시 정하다, 대신해 주다, 시범을 보여 주다

 -으면 안 될까?

2. 그림을 보고 친구의 기분이 상하지 않게 말해 봅시다.

가: 이번에도 내가 던질게.

나: 번갈아 하면 안 될까?

3. 친구의 기분이 상하지 않게 대화를 완성해 봅시다.

한 시간 안에 다 끝내자.

벌써 한 시간째야.

좀 쉬었다가 하다

우리가 자리를 양보해 드리다

나도 끼워 주다

⑤ '짝 찾기' 놀이 하기

1. 다음을 잘 듣고 대답해 봅시다. 💿 21

1) 성우는 무엇을 하고 있어요?

① ② ③

2) 성우는 이제 무엇을 할 거예요?

① ② ③

2. 친구와 〈보기〉와 같이 말해 봅시다.

〈보기〉
지민: 아이다, 어제는 미안해. 아파서 병원에 가느라 문구점에 못 갔어.
아이다: 그랬구나. 아픈 건 좀 어때?
지민: 괜찮아. 문구점은 내일 가면 안 될까?
아이다: 그래, 좋아. 그럼 내일 3시에 만나자.

1)

다 읽고 내일 줄게.

하루만 더…….

2)

뭐라고? 딴생각을 했어.

다시 한번…….

3. '짝 찾기' 놀이를 해 봅시다. 부록

〈놀이 방법〉
① 원 안으로 들어가 글 카드를 하나씩 나누어 가지세요.
② 친구들의 카드를 확인하세요.
③ 칠판에 적힌 이어 주는 말을 사용해서 한 문장으로 만들 수 있는 글 카드를 가진 친구를 찾으세요.
④ 손을 들고 친구와 함께 문장을 큰 소리로 외치세요.
⑤ 문장이 맞으면 그 친구와 손을 잡고 원 밖으로 나오세요.
⑥ 마지막까지 원 안에 남아 있는 친구가 술래가 돼요.

● 글 카드

늦잠을 자다	살금살금 걷다
지각을 하다	일찍 자다
일찍 일어나다	지각을 안 하다
친구가 깨워 주다	엄마가 잠에서 깨다

● 이어 주는 말

-느라고   -는 덕분에

-을까 봐   -을수록

6 감사 편지 쓰기

1. 다음 편지를 읽고 질문에 대답해 봅시다.

선생님께

선생님, 안녕하세요? 저 리암이에요.

처음 한국에 왔을 때는 정말 당황스러웠어요.

한국어도 모르고 한국 문화도 익숙하지 않았거든요.

그런데 선생님께서 한국어를 잘 가르쳐 주신 덕분에

한국 생활에 익숙해졌어요. 정말 감사합니다.

앞으로 더 열심히 공부할게요.

리암 올림

1) 누가 누구에게 쓴 편지예요?

(   )이/가 (   )에게/께

2) 글쓴이는 처음 한국에 왔을 때 어땠어요?

3) 글쓴이는 왜 선생님께 감사해요?

2. 다음을 보고 감사 편지를 완성해 봅시다.

- 지민 → 엄마
- 아끼는 팔찌를 잃어버려서 속상하다
- 엄마가 팔찌를 찾아 주다 → 기쁘다
- 앞으로 물건을 잘 챙기다

엄마께

엄마, 안녕하세요? 저 지민이에요.

어제는 아끼는 팔찌를 잃어버려서 무척 속상했어요.

그런데 엄마가 팔찌를 찾아 주신 덕분에 정말 기뻤어요.

정말 감사해요.

앞으로 물건을 잘 챙길게요.

지민 올림

- 요우타 → 선생님
- 친구들과 오해가 생겨서 우울하다
- 선생님이 친구들에게 내 사정을 잘 설명해 주다 → 안심하다
- 앞으로 친구들과 사이좋게 지내다

----

3. 고마운 사람에게
감사 편지를 써 봅시다.

----

⑦ 신문 상담 글 읽기

1. 신문 상담 글을 읽고 대답해 봅시다.

강수연 선생님의 고민 상담소

1

저는 두 달 전에 한국에 처음 왔어요. 한국어를 잘 못해서 친구들이랑 이야기하는 것이 좀 힘들었어요. 그래도 좋은 친구들을 만난 덕분에 학교생활이 어렵지 않았어요.

그런데 요즘 친구들이 저 몰래 제 얘기를 하는 것 같아요. 너무 섭섭하고 속상해요. 어떻게 하면 좋을까요?

 저런, 친구들 때문에 굉장히 섭섭하고 속상하군요. 좋은 친구들이니까 몰래 나쁜 말을 하는 것은 아닐 거예요. 아마 오해가 있는 것 같아요.

우선, 친구들에게 자신의 마음을 솔직히 말해 보세요. 그러고 나서 담임 선생님을 찾아가 보세요. 선생님께서 잘 도와주실 거예요.

1) 친구는 지금 기분이 어때요?

2) 친구는 어떤 고민이 있어요?

3) 강수연 선생님은 친구에게 어떻게 하라고 했어요?

2

선생님, 안녕하세요? 우리 반에는 두 달 전쯤 다른 나라에서 온 친구가 있어요. 저와 제 친구들은 그 친구와 사이좋게 지내고 있었어요. 점심시간에 밥도 같이 먹고, 수업 후에 축구도 같이 했어요.

그런데 어느 날부터 이 친구가 저희를 피하는 것 같아요. 저희는 걱정이 돼서 친구에게 무슨 일이 있는지 모여서 자주 이야기를 해요. 어떻게 하면 좋을까요?

 정말 속상하겠어요. 친구를 걱정하는 것을 보니 다시 사이좋게 지낼 수 있을 거예요.

우선, 직접 만나서 친구에게 무슨 문제가 있는지, 다른 친구들에게 섭섭한 일은 없는지 물어보는 게 좋겠어요. 아마 작은 일로 오해가 생긴 것 같아요. 오해를 풀고 다시 좋은 친구 사이가 되기를 바랄게요.

1) 친구는 지금 기분이 어때요?

2) 친구는 어떤 고민이 있어요?

3) 강수연 선생님은 친구에게 어떻게 하라고 했어요?

⑧ 생각 넓히기

1. 다음을 보고 왜 밑줄 그은 부분처럼 말했는지 이야기해 봅시다.

2. 위의 밑줄 그은 말이 무슨 뜻인지 알아봅시다.

'배가 아프다'는 남이 잘된 것에
심술이 난다는 뜻이에요.
한마디로 질투가 난다는 거죠.

'코가 납작해지다'는 자신감을
잃고 기가 죽었다는 뜻이에요.

'손에 땀을 쥐다'는 일이 잘
안 될까 봐 마음이 긴장되고
초조하다는 뜻이에요.

3. 다음 상황에는 어떤 말이 어울릴까요? 빈칸을 채워 봅시다.

①

농구 골 넣기는 언제나 내가 동생보다
훨씬 잘했어. 그런데 오늘은 동생한테
아주 쉽게 졌어.

친구들 앞에서
_____.

②

총알이 빗발치는 전쟁터에서
주인공은 결국 살아남았어.

정말 가슴 졸이고
_____ 영화였어.

③

?

_____
_____.

선택 1
5 청개구리 이야기 읽기
6 재미있는 실수 말하기
7 다짐의 글 쓰기
8 생각 넓히기

필수
1 학교에서의 실수
2 교실에서의 실수
3 후회하는 일
4 친구와 사이좋게 지내기

선택 2
학습 도구
한국어

달리기하다가 넘어지고 말았어요

• 어떤 실수를 한 적이 있어요?

• 실수하고 나서 후회한 적 있어요?

1 학교에서의 실수

1. 친구들이 한 실수를
   이야기해 봅시다. 💿 22

   1) 잘 듣고 따라 하세요.

   2) 잘 듣고 붙임 딱지를 그림에
      붙여 보세요. 붙임 딱지

2. 그림 속 친구들이 되어 다음과
   같이 말해 봅시다.

   > **가:** 무슨 일이 있었어?
   > **나:** 달리기하다가
   >   넘어지고 말았어.

3. 실수한 경험을 이야기해 봅시다.

   1) 요우타는 무슨 실수를 했어요?

   2) 요우타는 왜 그런 실수를 했어요?

   3) 여러분은 어떤 실수를 한 적이
      있어요?

저는 달리기를 하다가 넘어졌어요.
앞 친구보다 빨리 가고 싶어서
빨리 뛰었는데, 갑자기 몸이 앞으로
기울어졌어요. 그래서 넘어지고 말았어요.
열심히 뛰었는데 아쉬웠어요.

2 교실에서의 실수

1. 친구들에게 무슨 일이 있는지 이야기해 봅시다.

1) 친구들이 어떤 실수를 했는지 말해 보세요.

2) 그림의 낱말을 들으면서 따라 써 보세요. 💿 23

깜빡 잊다, 잘못 가져오다,
잘못 알아듣다, 안 가져오다,
못 듣다, 잘못 보다,
잃어버리다

-었구나

3) 듣고 따라 하세요. 💿 24

> **하미:** 선생님, 교과서를 잘못 가져왔어요.
>
> **선생님:** 저런, 하미가 교과서를 잘못 가져왔구나.
>
> 그럼 짝꿍이랑 같이 보세요.

2. 어울리는 것을 연결해 대화를 만들어 봅시다.

선생님, 필통을 잃어버렸어요.	그래서 대답을 못 했구나. 질문을 다시 말해 줄게요.
선생님, 숙제하는 것을 깜빡 잊었어요.	저런, 연필이 없겠구나. 그럼 짝꿍이 연필을 좀 빌려 주세요.
선생님, 글씨를 잘못 봤어요.	그래서 문제를 틀렸구나. 그럼 다시 잘 읽어 볼래?
선생님, 질문을 못 들었어요.	그래서 숙제를 안 냈구나. 내일까지 꼭 해 와야 해.

3. 친구와 실수한 것에 대해 이야기해 봅시다.

③ 후회하는 일

1. 리암에게 무슨 일이 있는지 이야기해 봅시다.

1) 소리 내어 읽어 보세요.

> 리암은 오늘 친구들과 집에서 즐겁게 놀았어요. 스케치북 대신에 달력을 찢어서 거기에 그림을 그렸어요. 벽에도 그림을 그렸어요. 또 어항에서 물고기도 꺼냈어요. 그런데 물고기를 꺼내다가 어항을 떨어뜨려서 어항이 깨졌어요.
>
> 그때 엄마가 집에 오셨어요. "집 안이 이게 뭐니?" 엄마가 화가 나셨어요. "벽에 낙서를 했어?" 리암은 후회했어요. '스케치북에 그림을 그릴걸.' 엄마가 또 말씀하셨어요. "어항은 왜 깨뜨렸니?" 리암은 다시 후회했어요. '물고기를 꺼내지 말걸.'

벽에 낙서를 하다

2) 리암은 어떻게 집 안을 어지럽혔어요?

액자를 떨어뜨리다

달력을 찢다

쿠션을 망가뜨리다

우유를 쏟다

어항을 깨뜨리다

전화기를 고장 내다

장난감을 늘어놓다

벽에 낙서를 하다, 달력을 찢다,
액자를 떨어뜨리다, 우유를
쏟다, 쿠션을 망가뜨리다,
어항을 깨뜨리다, 전화기를
고장 내다, 장난감을 늘어놓다

-을걸

2. 리암이 후회하고 있는 것을 말해 봅시다.

③ 장난감을 늘어놓고
  안 치웠어?
  (장난감을 치우다)

④ 전화기를 고장 냈니?
  (전화기를 떨어뜨리지 말다)

⑤ 액자도 떨어뜨렸니?
  (액자를 건드리지 말다)

② 어항은 왜 깨뜨렸어?
  (물고기를 꺼내지 말다)

⑥ 우유도 쏟았구나!
  (우유 잔을 조심하다)

① 쿠션을 망가뜨렸구나.
  (쿠션을 던지지 말다)

스케치북에
그림을 그릴걸.

벽에 낙서를 했어?
(스케치북에 그림을 그리다)

3. 친구들은 어떤 일을 후회하고 있어요? 그림을 보고 말해 봅시다.

동생한테 양보하지
않았는데, 내가 먼저
양보할걸.

① 친구를 놀려서
  친구가 화가 났어.
  - - - - - - - - - - - - - - - .

④ 버스에서 내리다가
  발을 헛디뎠어.

② 간식을 너무 많이 먹었어.
- - - - - - - - - - - - - - - .

③ 뛰다가 넘어져서 다쳤어.
- - - - - - - - - - - - - - - .

4 친구와 사이좋게 지내기

1. 친구와 사이좋게 지내려면 어떻게 해야 하는지 이야기해 봅시다.

1) 잘 듣고 따라 하세요. 💿 25

먼저 먹어.

미안해.

양보하다

친구 말을 잘 들어주다

먼저 사과하다

잘 도와주다

놀리지 말다

화내지 말다

2) 요우타가 어떻게 다짐했는지 듣고 말해 보세요. 💿 26

앞으로는 친구에게
먼저 양보해야지.

다음부터는 친구 말을
잘 들어줘야지.

이제 친구를 놀리지
말아야지.

2. 지민이의 고민을 잘 듣고 대답해 봅시다. 🔘 27

　1) 지민이가 한 일에 〇표 하세요.

　2) 지민이는 어떤 다짐을 했는지 쓰세요.

3. 친구와 사이좋게 지내기 위한 여러분의 다짐을 써 봅시다.

　① _____
　② _____
　③ _____

4. 잘 듣고 대화를 완성해 봅시다. 🔘 28

① 어떡하지? 형의 게임기를 _____.

형 게임기를?

② 형이 좋아하는 게임기인데……. _____.

③ 사실대로 말하는 건 어때?

알겠어. 앞으로는 _____.

5 청개구리 이야기 읽기

1. 다음을 읽고 질문에 답해 봅시다.

옛날에 '아리'라는 청개구리 한 마리가 살았어요.
아리는 엄마 말을 잘 듣지 않고 늘 반대로 했어요.
엄마가 반찬을 골고루 먹으라고 하면 한 가지
반찬만 먹었어요. 엄마가 아리가 감기에
걸릴까 봐 긴바지를 입으라고 하면
반바지를 입었어요. 엄마가 집에 일찍
들어오라고 하면 해가 지고 나서야 들어왔어요.
엄마는 말 안 듣는 아리 때문에 속이 상했어요.

그러던 어느 날 엄마가 깊은 병에 걸리고 말았어요.
엄마는 돌아가시기 전에 아리에게 말씀하셨어요.
"엄마를 강가에 묻어 주렴."
엄마는 아리가 늘 반대로 하니까 이렇게 말하면 아리가
엄마를 산에 묻을 거라고 생각했어요.
'이번에는 엄마 말대로 해야지.' 아리는 생각했어요.
그리고 엄마 말대로 강가에 엄마를 묻었어요.

그 뒤로 아리는 밥을 먹으면서도 '개굴개굴, 엄마 말대로 반찬을 골고루
먹을걸.' 옷을 입으면서도 '개굴개굴, 엄마 말대로 추운 날 긴바지를 입을걸.'
집에 돌아가면서도 '개굴개굴, 엄마 말대로 일찍 집에 들어갈걸.'
'엄마 말대로 할걸.' 아리는 이렇게 매일 후회했어요.

특히 비가 오는 날이면 아리는 엄마의 무덤이 떠내려갈까 봐 걱정이 돼서 엄마 무덤 앞에서 "개굴개굴" 울었어요. 요즘도 비가 오는 날이면 엄마 무덤을 걱정하는 아리의 울음소리를 들을 수 있어요.

1) 엄마는 왜 늘 속이 상했어요?

2) 엄마는 왜 아리에게 강가에 묻어 달라고 했어요?

3) 비가 오는 날에 아리는 왜 '개굴개굴' 울었어요?

	엄	마	의		무	덤	이								

2. 아리가 무엇을 후회하는지 말해 봅시다.

3. 여러분이 아리와 같이 후회한 경험을 말해 봅시다.

6 재미있는 실수 말하기

1. 다음을 듣고 말해 봅시다. 🎧 29

1) 프랭크가 무엇을 하고 있어요? 그림을 보며 순서대로 말해 보세요.

2) 빈칸을 채워 보세요.

① 어느 날 프랭크는 정원에서 음료수가 담긴 컵을 막대로 젓고 있었어요.
그런데 갑자기 집에서 어머니가 프랭크를 부르셨어요.

② 다음 날 아침 프랭크는 얼어 버린 컵을 보고 생각했어요.
'어제 컵을 집 안으로 _____. 그랬으면 얼지 않았을 텐데.'
프랭크는 컵을 안 가지고 들어간 것을 후회했어요.

③ 집으로 들어간 프랭크는 정원에 두고 온 컵을 깜빡 _____.
컵은 밤새 추운 정원 테이블 위에 놓여 있었어요.

컵에서 막대를 뽑으려는 순간, 컵만 떨어져 나왔어요.
막대를 잡고 한 입 먹어 보니 정말 맛있었어요.

④ 그래서 프랭크는 다짐했어요.
"정말 _____. 여름에 이렇게 아이스바를 만들어 _____
_____."

2. 그림을 보면서 친구에게 이야기를 다시 말해 봅시다.

3. 여러분도 실수한 것이 오히려 재미있었던 적이나 새로운 발견으로
이어진 적이 있어요? 이야기해 봅시다.

1) 재미있는 실수를 하거나 본 적이 있어요?

2) 그 실수의 어떤 점이 좋았어요?

7 다짐의 글 쓰기

1. 요우타가 쓴 다짐의 글을 읽고 이야기해 봅시다.

다짐의 글

저는 오늘 수업 시간에 친구하고 같이 이야기를 했어요. 갑자기 어제 본 웃긴 만화가 생각났어요. 그래서 그만 친구에게 말하고 말았어요. 수업 시간이라는 것을 깜빡 잊었어요. 선생님께서 "조용히 하세요."라고 하셨어요. 쉬는 시간에 이야기할 걸 그랬어요. '앞으로는 수업 시간에 조용히 해야지.'라고 생각했어요.

2학년 2반 요우타

1) 요우타는 수업 시간에 무슨 일을 했어요?

① 친구하고 싸웠어요   ② 과자를 먹었어요   ③ 친구하고 이야기를 했어요

2) 선생님은 요우타에게 뭐라고 하셨어요?

3) 요우타는 앞으로 어떻게 할 거예요?

2. 다짐의 글을 써 봅시다.

1) 성우가 어떤 일을 했는지 말해 보세요.

지우개
좀…….

친구에게
장난치지 마세요.

지우개를
던지지 말걸.

2) 성우가 한 일을 연결해 보세요.

선생님께서 성우에게 "친구에게
장난치지 마세요."라고 하셨어요.

수업 시간에 아이다가 성우에게
지우개를 빌려 달라고 했어요.

성우는 아이다에게 지우개를 던졌어요.
그렇게 하면 재미있을 것 같았어요.

성우는 '앞으로는 지우개를
던지지 말아야지.'라고 생각했어요.

3) 성우가 되어 다짐의 글을 써 보세요.

1. 무슨 속담인지 알아봅시다.

원숭이도 나무에서 떨어진다

1) 원숭이는 나무에서 어떻게 지내요?

2) 원숭이는 나무에서 떨어질 때가 있을까요? 왜 떨어질까요?

3) 이 속담의 의미를 알아보세요.

어떤 일을 아주 잘하는
사람도 실수할 수
있다는 뜻이에요.

원숭이는 나무 타기
선수지만, 가끔 나무에서
떨어지기도 해요.

2. 속담을 이용해 말해 봅시다.

(   )

누구나 실수할 수 있으니까, 힘내!

(   )

아무리 수영을 잘해도 물에서는
항상 조심해야 해.

(   )

그러니까 아무리 쉬운 수학 문제도
한 번 더 풀어 봐야 해.

3. 친구와 서로 이야기하고 써 봅시다.

1) 평소에는 잘하던 일인데 그 일을 실수한 적이 있어요?

2) 친구에게 위로의 쪽지를 쓰세요.

친구 이름

(   )

친구 이름

(   )

선택 1

5 위인전 읽기
6 존경하는 인물에게
  편지 쓰기
7 책 속 인물 소개하기
8 생각 넓히기

필수

1 광화문 광장의 위인들
2 위인전 속 위인들
3 존경하는 인물
4 존경하는 이웃

선택 2

학습 도구
한국어

학습 목표
• 인물에 대해 말할 수 있다.
• 무엇을 강조하여
  말할 수 있다.

만델라 대통령은 참 훌륭해.

• 존경하는 사람이 누구예요?

• 왜 그 사람을 존경해요?

① 광화문 광장의 위인들

1. 세종대왕과 이순신 장군이 무슨 일을 했는지 이야기해 봅시다.

백성을 위해
할 일이 많구나.

한글을 만들다

전쟁에서 싸우다

물시계를 발명하다

전쟁을 준비하다

거북선을 만들다

1) 듣고 가리키며 따라 하세요. 💿 30

2) 〈보기〉와 같이 말해 보세요.

〈보기〉

가: 세종대왕은 어떤 훌륭한 일을 하셨어요?
나: 세종대왕은 한글을 만드셨어요.

2. 세종대왕과 이순신 장군이 **1**에서와 같은 일을 한 이유를 이야기해 봅시다.

1) 잘 듣고 따라 하세요. 🪩 31

세종대왕은 백성을 위해
한글을 만드셨어요.

이순신 장군은 나라를 위해
전쟁에서 싸우셨어요.

2) 세종대왕과 이순신 장군의 업적을 위와 같이 더 말해 보세요.

3. 고마운 사람들에 대해 이야기해 봅시다.

1) 다음 사람들은 여러분을 위해 무엇을 해 주었는지 이야기해 보세요.

선생님은 우리를 위해 한국어를 쉽고 재미있게 가르쳐 주셨어요.

엄마

아빠

경찰

2) 고마운 사람들에게 감사 카드를 써 보세요.

선생님께!
선생님 언제나 _____ 한국어를 _____ 어/아서 감사합니다.
앞으로 더 _____ ㄹ/을게요. 그래서 선생님의 가르침에 보답하겠습니다.

② 위인전 속 위인들

1. 위인전 속 위인들에 대해 이야기해 봅시다.

에디슨
전구를 발명하다

마더 테레사
가난한 사람을 돕다

베토벤
훌륭한 음악을 작곡하다

스티븐 호킹
우주를 연구하다

나이팅게일
정성껏 환자를 간호하다

1) 잘 듣고 따라 하세요. 💿 32

2) 위인들이 어떤 업적을 남겼어요? 〈보기〉와 같이 말해 보세요.

〈보기〉

가: 에디슨은 어떤 일을 했어요?

나: 에디슨은 전구를 발명했어요.

전구를 발명하다, 가난한 사람을 돕다, 훌륭한 음악을 작곡하다, 우주를 연구하다, 정성껏 환자를 간호하다

 -게 하다

2. 다음 위인들과 관계있는 것을 연결하고 〈보기〉처럼 말해 봅시다.

나이팅게일 ● ● 우리가 아름다운 음악을 감상하다

스티븐 호킹 ● ● 우리가 우주의 신비를 알다

마더 테레사 ● ● 많은 사람들이 굶지 않다

베토벤 ● ● 우리가 밤에도 생활할 수 있다

에디슨 ● ● 많은 사람들의 병이 낫다

〈보기〉 에디슨은 전구를 발명했어요. 그래서 우리가 밤에도 생활할 수 있게 했어요.

3. 위인 카드 게임을 해 봅시다. 부록

〈놀이 방법〉

① 빨간색 카드(위인 이름과 한 일이 쓰여 있음)와 파란색 카드(위인이 한 일의 결과가 쓰여 있음)를 글자가 아래로 가게 뒤집어서 펼쳐 놓아요.

② 빨간색 카드와 파란색 카드를 한 장씩 뒤집어요.

③ 짝이 맞으면 2의 〈보기〉와 같이 문장을 만들고 카드를 가져가요.

④ 문장을 만들지 못하거나 짝이 맞지 않으면 다시 카드를 뒤집어 놓아요.

⑤ 카드를 많이 가져간 사람이 우승자예요.

③ 존경하는 인물

1. 잘 듣고 리암이 존경하는 인물에 대해 이야기해 봅시다. 💿33

1) 듣고 가리키며 따라 해 보세요.

2) 존경하는 인물에 대해 묻고 대답해 보세요.

〈보기〉

가: 리암은 왜 에디슨을 존경해요?
나: 에디슨은 축음기를 발명했어요.
　　그리고 전화기도 발명했어요.
　　그래서 에디슨을 존경해요.

2. 위 그림을 보고 〈보기〉와 같이 말해 봅시다.

〈보기〉

● 축음기를 발명하다
● 전화기를 발명하다

에디슨은 축음기를 발명했을 뿐
아니라 전화기도 발명했어요.

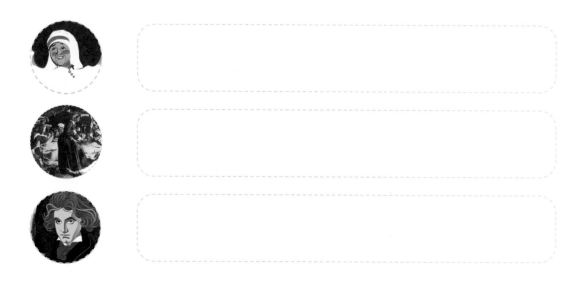

3. 모둠별로 존경하는 인물에 대해 조사해서 발표해 봅시다.

1) 다음 빈칸을 채우고 말해 보세요.

- 블랙홀의 비밀을 밝히다
- 우주의 역사를 연구하다

 제가 존경하는 인물에 대해서
발표하겠습니다. 저는 스티븐 호킹 박사를
존경합니다. 스티븐 호킹 박사는

_____ 을 뿐 아니라

_____

2) 다음을 보고 존경하는 인물을 발표해 보세요.

신사임당

- 아름다운 그림을 많이 그리다
- 훌륭한 시를 쓰다

4 존경하는 이웃

1. 다음을 읽고 존경하는 이웃에 대해 이야기해 봅시다.

　　우리 동네에는 훌륭한 이웃이 있습니다. 아침에 제일 먼저 만날 수 있는 사람은 우유 아주머니입니다. 우유 아주머니는 비가 오든지 눈이 오든지 매일 우유를 배달하십니다. 어른들은 아주머니를 아주 성실한 사람이라고 칭찬합니다.

　　그리고 아파트 경비 아저씨입니다. 아파트에 어떤 차가 들어오든지 아저씨를 가장 먼저 만납니다. 아버지는 경비 아저씨가 정이 많고 책임감이 강한 분이라고 했습니다. 이렇게 우리 동네에는 훌륭한 이웃이 많습니다.

　　1) 사람들은 다음 이웃들을 어떻게 말해요?

- 우유 아주머니:
- 아파트 경비 아저씨:

성실하다, 정이 많다, 책임감이 강하다

–든지

2) 다음 설명이 맞으면 ○, 틀리면 ✕표 하세요.

우유 아주머니는 눈이 오거나 비가 올 때만 우유 배달을 하십니다. (   )
아파트에 들어오는 차들은 가장 먼저 경비 아저씨를 만납니다.   (   )

2. 다음 문장을 〈보기〉처럼 바꿔 말해 봅시다.

〈보기〉   어떤 차가 들어와도 다 교통정리를 해 주세요.
➡ 어떤 차가 들어오든지 언제나 교통정리를 해 주세요.

1) 요우타는 내가 무엇을 부탁해도 다 들어줘요.
   ➡
   ----

2) 강아지는 내가 어디를 가도 늘 졸졸 따라와요.
   ➡
   ----

3) 성우는 어떤 이야기를 해도 다 재미있어요.
   ➡
   ----

4) 엄마는 내가 어떤 옷을 입어도 다 잘 어울린대요.
   ➡
   ----

3. 여러분 주위에는 어떤 훌륭한 이웃이 있는지 말해 봅시다.

우리 선생님은 아주 친절해요
내가 무엇을 물어보든지 친절하게 가르쳐 주세요.

친절한 사람   성실한 사람   정이 많은 사람   ?

⑤ 위인전 읽기

1. 다음 위인전을 읽고 이야기해 봅시다.

어릴 때부터 글 읽기를 좋아했던 세종대왕은 임금이 된 후에도 계속 열심히 공부했어요. 나라를 잘 다스리려면 임금이 공부를 게을리하면 안 된다고 생각했어요. 그리고 훌륭한 인재를 키워야 한다고 생각했어요. 그래서 뛰어난 학자를 뽑아 집현전에서 공부하게 했어요.

"재주가 있으면 누구에게나 기회를 주어야 한다."

세종대왕은 훌륭한 재주를 가진 사람에게는 누구든 기회를 주었어요. 그래서 장영실을 불러 해시계, 물시계, 측우기를 발명하게 했어요.

세종대왕은 과학뿐 아니라 예술에도 관심이 아주 많았기 때문에 박연에게 음악을 정리하고 악기를 개발하게 했지요. 세종대왕이 한 일 중 가장 훌륭한 일은 한글을 만든 것이에요.

글자를 만들어서 백성들이
쉽게 쓰게 해야겠다.

한글을 만들기 전에는 한자를 빌려 썼는데, 한자는 보통 사람들이 배우기가 어려웠어요. 세종대왕이 한글을 만든 덕분에 사람들은 자기의 생각을 쉽게 글로 쓸 수 있게 되었어요. 이러한 노력으로 백성들의 삶은 풍요로워졌답니다.

1) 맞는 것에 ◯표 하세요.

① 세종대왕은 임금이 된 후에도 열심히 공부했어요.　　（　　　）
　 세종대왕은 임금이 된 후에는 공부를 게을리했어요.　（　　　）

② 세종대왕은 과학과 음악에 관심이 많았어요.　　　　（　　　）
　 세종대왕은 음악에만 관심이 많았어요.　　　　　　（　　　）

③ 세종대왕은 한글을 만들었어요.　　　　　　　　　（　　　）
　 세종대왕은 한자를 만들었어요.　　　　　　　　　（　　　）

2) 세종대왕이 한 일 중 가장 훌륭한 일은 무엇이에요?

3) 세종대왕이 한글을 만든 후 백성들에게 어떤 일이 일어났어요?

2. 세종대왕 이야기를 읽고 다음 말을 써서 이야기해 봅시다.

만약에 ~지 않았다면…….

만약에 세종대왕이 한글을 만들지 않았다면 백성들은 글을 못 읽었을 거예요.

6 존경하는 인물에게 편지 쓰기

1. 친구가 세종대왕에게 쓴 편지를 읽어 봅시다.

세종대왕 할아버지께

저는 대전에 사는 성우예요. 만약 세종대왕 할아버지가 한글을 만들지 않으셨다면, 저는 지금 어려운 한자를 공부하고 있을 거예요. 그렇지만 한글이 배우기 쉬워서 저와 제 친구들은 지금 모두 책을 잘 읽을 수 있어요. 한글을 만들어 주셔서 고맙습니다. 저도 할아버지처럼 다른 사람을 위해 좋은 일을 하고 싶어요.

2019년 9월 20일

성우 올림

1) 세종대왕이 한글을 만들지 않았다면 성우에게 어떤 일이 생겼을까요?

2) 성우는 세종대왕의 어떤 점을 닮고 싶어 해요?

2. 다음 말을 사용해 세종대왕에게 편지를 써 봅시다.

1) 다음 말로 문장을 만들어 보세요.

만약에 ~지 않았다면…….

저도 세종대왕 할아버지처럼 …….

2) 위의 문장을 사용해 편지를 써 보세요.

_____

_____

_____

_____

_____

_____ 년 _____ 월 _____ 일

_____ 올림

3) 편지를 발표해 보세요.

1. 친구의 인물 소개를 듣고 대답해 봅시다. 🎧 34

내가 읽은 책 속의 인물

1) 지민이가 누구를 소개했어요?

2) 테레사 수녀님이 어떤 일을 했는지 말해 보세요.

> 고아를 _____ 아픈 사람들을 치료해 주었습니다.

3) 다시 잘 듣고 빈칸을 채워 보세요.

테레사 수녀님은 인도에서
사람들을 _____ 평생
봉사했습니다.

테레사 수녀님은 언제나 하얀 옷을
입었는데, 인도에서 하얀 옷은
가난한 사람들이 입는 옷이었습니다.

이렇게 수녀님은 언제나
가난하고 어려운 사람
_____이었습니다.

2. 다음 메모를 보고 인물을 소개해 봅시다.

- **이름**: 신사임당
- **직업**: 조선 시대 화가
- 아름다운 시를 썼다.
- 아름다운 그림을 그렸다.
- 이이라는 훌륭한 학자를 아들로 두었다.
- 5만 원짜리 지폐에 신사임당과 그녀의 그림이 나와 있다.

다음에 소개해 드릴 사람은
신사임당입니다. 신사임당은
_____입니다.

3. 부모님 나라의 위인을 조사해서 발표해 봅시다.

- **이름**:
- **직업**:
- _____
- _____
- _____

생각 넓히기

1. 누가 한 말인지 연결해 봅시다.

천재는 1퍼센트의 영감과
99퍼센트의 노력으로 만들어진다. ●

● 마더 테레사

고개를 들어 별을 보라,
당신의 발만 들여다보지 말고. ●

● 에디슨

당신이 오늘 베푼 선행은 내일이면
사람들에게 잊혀질 것이다.
그래도 선행을 베풀어라. ●

● 스티븐 호킹

2. 위의 말이 무슨 뜻인지 생각해 봅시다.

많이 노력하지 않고서는
훌륭한 사람이 될 수 없다는
뜻이에요.

사람들이 기억해 주는 것을
바라지 말고 계속 도우라는
뜻이에요.

당장 힘들다고 해도 꿈을
간직하고 꿈을 향해 나아가라는
뜻이에요.

3. 다음 친구들에게는 어떤 위인의 말이 어울릴까요? 빈칸을 채워 봅시다.

친구는 저렇게 잘하는데,
나는 자꾸 틀려.

"_____"라고 했어.

계속 연습하다 보면 잘하게 될 거야.

괜히 도와줬어.

"_____"라고 했어.

신경 쓰지 말고 도움이 필요한 친구들을 도와줘.

드디어 내가 후보 선수가 됐어.
됐어! 이 정도면 성공했어!

"_____"라고 했어.

지금에 만족하지 말고 더 큰 꿈을 가져 봐.

4. 부모님 나라의 명언을 조사해서 발표해 봅시다.

내 죽음을 적에게 알리지 말라.
-이순신-

선택 1

5 인터뷰 기사문 읽기
6 인터뷰 기사문 쓰기
7 미래의 모습 이야기하기
8 생각 넓히기

필수

1 내가 좋아하는 것
2 내가 잘하는 것
3 진로 탐구 대회
4 장래 희망

선택 2

학습 도구
한국어

성격이 아주
유쾌한가 봐

학습 목표
· 친구의 장점을 칭찬하여
  말할 수 있다.
· 자신의 적성을 추측하여
  말할 수 있다.

· 무엇을 할 때 즐거워요?

· 무엇을 잘할 수 있어요?

1. 친구들이 무엇을 하고 있는지 말해 봅시다.

1) 듣고 가리키며 따라 하세요. 💿 35

자동차 장난감을 가지고 놀다

인형 옷을 갈아입히다

병원놀이를 하다

공룡 그림책을 보다

춤을 따라 추다

개그 프로그램을 보다

2) 친구들이 무엇을 하고 있는지 말해 보세요.

리암은 무엇을 하고 있어요?

자동차 장난감을 가지고 놀고 있어요.

자동차 장난감을 가지고 놀다,
인형 옷을 갈아입히다, 병원
놀이를 하다, 공룡 그림책을
보다, 춤을 따라 추다,
개그 프로그램을 보다

–던데

2. 친구들이 무엇을 좋아하는지 이야기해 봅시다.

〈보기〉
지민아, 너는 뭘 할 때 제일 즐거워?
난 인형 옷을 갈아입힐 때가 제일 즐겁던데.

뭘 할 때
제일 재미있어?

뭘 할 때 시간 가는
줄 모르겠어?

뭘 할 때 제일
기분이 좋아?

3. 친구들마다 좋아하는 일이 달라요. 다음 일에 대한 친구들의 생각을 이야기해 봅시다.

〈보기〉
로봇 조립해 본 사람 있어? 나는 재미있던데.
나는 로봇 조립은 좀 어렵던데.
그래? 나는 재미있어서 매일 하고 싶던데.

① 강아지와 놀다

② 자전거를 타다

③ ?

② 내가 잘하는 것

1. 친구들이 무엇을 잘하는지 이야기해 봅시다.

동물을 돌보다

예쁜 인형을 그리다

자동차를 잘 알다

공룡 이름을 외우다

노래를 만들다

애들아!

흉내를 내다

1) 그림을 보고 친구들이 잘하는 것을 이야기해 보세요.

2) 듣고 가리키고 따라 쓰세요. 📀 36

3) 선생님과 친구들의 이야기를 듣고 따라 하세요. 📀 37

〈보기〉
> **선생님**: 우리 반 친구들이 잘하는 것을 이야기해 봐요.
> 여러분, 요우타는 무엇을 잘해요?
>
> **지민**: 요우타, 너는 친구들 흉내를 아주 잘 내잖아.
>
> **리암**: 맞아. 선생님 흉내도 아주 잘 내잖아.

흉내를 내다, 공룡 이름을 외우다, 예쁜 인형을 그리다, 동물을 돌보다, 자동차를 잘 알다, 노래를 만들다

-잖아

2. 친구가 무엇을 잘하는지 알려 줍시다.

나는 잘하는 게 없는 것 같아……

무슨 소리야?
넌 동물을 잘 돌보잖아.

그래, 동물들이
너만 따르잖아.

① 아비가일

② 지민

③ 성우

④ 리암

3. 나는 무엇을 잘할까요? 친구들의 이야기를 듣고 말해 봅시다.

1) 친구의 이름이 적힌 종이에 친구가 잘하는 것을 써 주세요.

저밍 너는 다른 친구의

이야기를 잘 들어주잖아.

2) 친구들이 적어 준 종이를 보고 내가 잘하는 것을 말해 보세요.

친구들이 제가 잘하는 것을 이렇게 알려 줬어요.
저는 다른 친구의 이야기를 잘 들어줘요. 그리고……

3 진로 탐구 대회

1. 친구들의 성격에 대해 이야기해 봅시다.

1) 듣고 가리키며 따라 하세요. 🔵 38

2) 친구들의 성격을 말해 보세요.

요우타는 성격이 어때요?

요우타는 유쾌해요.

유쾌하다, 집중력이 강하다, 마음이 따뜻하다, 흥이 많다, 도전 정신이 강하다, 상상력이 풍부하다

-은가 보다

2. 진로 탐구 대회 그림을 보고 친구들의 성격을 추측해 봅시다.

<보기>

요우타는 개그맨이 되고 싶구나.
요우타는 성격이 아주 유쾌한가 봐.

①

②

③

④

3. 친구들의 장래 희망을 들어 보고 성격을 추측해 봅시다.

<보기>

성우야, 너는 커서 뭐가 되고 싶어?

난 공룡 박사가 되고 싶어.

그래? 집중력이 아주 강한가 봐.

① 아이다, 너는 커서 뭐가 되고 싶어?

② 아비가일, 너는 커서 뭐가 되고 싶어?

③ 리암, 너는 커서 뭐가 되고 싶어?

④ 지민아, 너는 커서 뭐가 되고 싶어?

④ 장래 희망

1. 성우의 발표문을 읽고 질문에 답해 봅시다.

저는 나중에 커서 공룡 박사가 되고 싶어요. 어렸을 때부터 공룡 그림책을 많이 보아서인지 공룡에 관심이 많아요. 공룡은 종류가 아주 많은데, 저는 그중에서 티라노사우루스를 제일 좋아해요. 티라노사우루스는 이빨이 날카롭고 턱이 강해서인지 힘이 아주 세요. 저는 앞으로 공룡을 열심히 연구해서 새로운 공룡을 발견하고 싶어요.

1) 성우는 커서 무엇이 되고 싶어 해요?

2) 성우는 왜 자기가 공룡에 관심이 많다고 생각해요?

어렸을 때부터 공룡 그림책을 많이 ☐☐☐☐☐ 공룡에 관심이 많아요.

3) 성우는 왜 티라노사우루스가 힘이 세다고 생각해요?

티라노사우루스는 이빨이 날카롭고 턱이 ☐☐☐☐☐ 힘이 아주 세요.

2. 친구들이 지금의 장래 희망을 갖게 된 이유가 뭐예요? 〈보기〉와
같이 말해 봅시다.

〈보기〉

요우타는
장래 희망이 뭐예요?

요우타는 개그 프로를 즐겨
보아서인지 개그맨이 되고
싶어 해요.

① 수의사

반려동물을 키우다

② 연예인

무대에 서는 것을 좋아하다

③ 카레이서

빠른 속도를 즐기다

④ 의상 디자이너

꾸미는 것을 좋아하다

3. 여러분의 장래 희망이 무엇인지 쓰고, 그런 장래 희망을 가지게
된 이유를 말해 봅시다.

요리사

저는 맛있는 것을 먹는 걸
좋아해서인지 요리사가 되고 싶어요.

1. 다음 인터뷰를 읽고 이야기해 봅시다.

파티시에는 무슨 뜻이에요?

파티시에는 프랑스어로 '음식을 만드는 사람'이란 뜻이에요.

사장님은 왜 파티시에가 되셨어요?

빵을 너무 좋아해서인지 맛있는 빵을 직접 만들어서 먹고 싶었어요.

그런데 왜 좋은 재료로 빵을 만드세요? 좋은 재료는 비싸잖아요.

내가 만든 빵을 먹고 사람들이 건강했으면 좋겠어요.
그래서 좋은 재료를 써요.

1) 파티시에는 무슨 뜻이에요?

2) 사장님은 왜 파티시에가 되었어요?

3) 사장님은 왜 좋은 재료로 빵을 만들어요?

2. 다음 인터뷰 기사문을 읽고 빈칸에 알맞은 말을 써 봅시다.

오늘은 우리 동네 빵집 '알프스'의 사장님한테 궁금한 것을 몇 가지 여쭤봤어요. 사장님은 빵을 너무 ＿＿＿＿＿＿＿ 맛있는 빵을 직접 만들고 싶었어요. 그래서 ＿＿＿＿＿ 가 되었어요. ＿＿＿＿＿ 는 프랑스어로 '음식을 만드는 사람'이란 뜻이에요. 사장님은 사람들의 건강을 위해서 비싸지만 좋은 재료를 사용해요. 사장님의 생각을 알고 나니 앞으로 '알프스' 빵집에 자주 가고 싶어졌어요.

3. 다음 인터뷰를 읽고 기사문을 써 봅시다.

나: 왜 서점을 하게 되었어요?

서점 주인: 서점이 사회에 필요할 것 같아서요.

나: 서점을 하면 어떤 점이 좋고, 어떤 점이 안 좋아요?

서점 주인: 서점에서 많은 사람을 만날 수 있잖아요. 그게 좋은 점이에요. 그리고 안 좋은 점은 언제든 책을 읽을 수 있다고 생각해서인지 책을 많이 안 읽는다는 거예요.

오늘은 우리 동네 서점 주인 아저씨를 만났어요. 궁금했던 점을 몇 가지 여쭤봤어요. 아저씨는 ＿＿＿＿＿＿＿＿＿＿＿ 서점을 하고 있대요. 그리고 ＿＿＿＿＿＿＿＿＿＿＿ 는 것이 좋다고 했어요. 안 좋은 점은 ＿＿＿＿＿＿＿＿＿＿＿ 는 거예요.

6 인터뷰 기사문 쓰기

1. 다음 직업 중 하나를 골라 인터뷰 질문을 만들어 봅시다.

선생님   경찰관   문구점 주인

?

1) _____

2) _____

3) _____

2. 위 질문으로 인터뷰를 하고 인터뷰 기사문을 써 봅시다.

_____

_____

_____

_____

_____

_____

----

3. 인터뷰 기사문을 친구들 앞에서 발표해 봅시다.

7 미래의 모습 이야기하기

1. 두 친구의 대화를 잘 듣고 질문에 답해 봅시다. 💿 39

1) 저밍과 아이다의 미래 모습을 골라 보세요.

2) 아이다는 왜 벌써 저밍이 요리사가 된 것 같다고 했어요?

진로 탐구 대회 때 저밍의 그림을 ☐☐☐☐ 벌써 요리사가 된 것 같다고 했어요.

3) 아이다는 무엇을 잘해요?

2. 친구의 미래 모습에 대해 이야기해 봅시다.

우리 나중에 커서 어떤
사람이 되어 있을까?

나는 자동차를 아주 좋아하잖아.
그러니까 아마 카레이서가
되어 있지 않을까?

자동차에 정말 관심이 많은가 봐.

① ② ③

3. 여러분의 미래의 모습에 대해 친구와 이야기해 봅시다.

1) 무엇을 좋아해요?

2) 커서 무엇이 되어 있을까요?

3) 장래 희망을 이루고 나서 어떤 일을 하고 싶어요?

난 춤추고 노래하는 것을 좋아하잖아.
아마 내가 흥이 많은가 봐. 그래서 나중에
커서 연예인이 되어 있을 것 같아.
연예인이 되면 사람들에게 꿈을 주는
노래를 부르고 싶어.

8 생각 넓히기

1. 어울리는 직업을 연결해 봅시다.

- 슬픈 표정이나 기쁜 표정을 잘 지을 수 있어요.
- 책에 나오는 사람들의 행동을 잘 연기할 수 있어요.

●   ● 댄서

- 선생님이 시범 보이는 동작을 정확하게 따라 할 수 있어요.
- 어려운 춤 동작도 몇 번 해 보면 잘할 수 있어요.

●   ● 영화배우

- 복잡한 그림을 가위로 정확하게 오릴 수 있어요.
- 복잡한 그림도 붓으로 정확하게 색칠할 수 있어요.

●   ● ?

2. 다음 사람들은 무엇을 잘해야 하는지 이야기해 봅시다.

선생님	학생들을 사랑해야 돼.	많이 알아야 돼.
미용사		
영화배우		

3. 친구와 함께 좋아하는 것과 잘하는 것에 대해 이야기하고, 어울리는 직업을 이야기해 봅시다.

난 만화 영화 보는 걸 좋아해.
열 시간도 볼 수 있어.

그리고 만화 영화 등장인물을
안 보고 그릴 수 있어.

그럼 만화가가 잘 어울리겠다.
만화 영화도 좋아하고, 만화 영화
등장인물도 잘 그릴 수 있으니까.

난 내가 만든 음식을 친구들이
맛있게 먹을 때 기분이 좋아.

그리고 음식을 더 맛있게
만드는 방법을 알고 싶어.

듣기 지문

1단원 • 우산을 가지고 다니도록 해요

1. 날씨에 따른 모습

Track 1

소나기가 내리다

태풍이 오다

구름이 끼다

장마가 지다

눈이 내리다

Track 2

무지개가 뜨다

길이 눈으로 덮이다

비바람이 불다

하늘이 흐리다

강물이 넘치다

2. 계절에 따른 날씨와 생활

Track 3

더워지다

시원해지다

포근하다

졸리다

무덥다

지치다

건조하다

산불이 잘 나다

쌀쌀하다

감기에 잘 걸리다

Track 4

① 요우타: 포근해요. 그래서 졸려요.

② 아비가일: 건조해요. 그래서 산불이 잘 나요. 조심해야 해요.

③ 요우타: 쌀쌀해요. 감기에 걸리기 쉬워요.

5. '계절이 되면' 놀이 하기

Track 5

① 저밍: 하늘이 흐려요. 내일 날씨가 어때요?

박혜연 선생님: 내일은 소나기가 내린다고 해요. 밖으로 나갈 때에는 우산을 꼭 챙겨요.

② 지민: 여름이라 더워요. 다음 주 날씨는 어때요?

김세현 선생님: 다음 주부터 태풍이 온다고 해요. 시원해질 거예요.

7. 일기 예보 말하기

Track 6

박혜연 선생님: 장마가 몰려오고 있습니다. 제주는 천둥 번개와 함께 소나기가 내리겠습니다. 광주와 부산도 하루 종일 비가 내리겠습니다. 대구와 대전은 구름이 많아 흐리겠습니다. 서울은 맑겠습니다. 지금까지 날씨를 전해 드렸습니다.

2단원 • 열심히 달렸더니 다리가 아파요

1. 친구와 함께 하는 운동

Track 7

① 아이다: 한 사람은 공을 차요.

성우: 또 한 사람은 공을 막아요.

② 지민: 한 사람은 공을 던져요.

아비가일: 또 한 사람은 공을 피해요.

2. 운동회에서 겪은 일

Track 8

콩 주머니를 던지다
뛰면서 공을 굴리다
어깨동무를 하고 뛰다
큰 소리로 응원하다
결승점까지 달리다

5. '몸으로 말해요' 놀이 하기

Track 9

① 리암: 두 명이 어깨동무를 하고 뛰는 운동이야.
② 저밍: 콩 주머니를 던지는 운동이야.
③ 촘푸: 뛰면서 공을 굴리는 운동이야.

3단원 • 한복이 참 예쁘더라

1. 설날의 모습

Track 10

① 아비가일: 지난 설날에 민속촌에 갔어. 그런데 아이들이 연날리기를 하더라.
② 아이다: 지난 설날에 민속촌에 갔어. 그런데 사람들이 모여서 윷놀이를 하더라.
③ 성우: 지난 설날에 민속촌에 갔어. 그런데 아이들이 예쁜 한복을 입고 다니더라.

3. 기념일에 하고 싶은 일

Track 11

리암: 나는 어린이날을 기다리고 있어.
지민: 어린이날에는 무엇을 했어?
리암: 나는 어린이날마다 선물을 받곤 했어. 올해에는 가족과 함께 놀이공원에 가고 싶어.

7. 설명하는 글 쓰기

Track 12

요우타: 아빠, 아빠 나라에도 설날이 있어요?

아빠: 그럼. 일본에도 설날이 있지. 일본의 설날에도 함께 명절 음식을 먹는단다.
요우타: 정말요? 무엇을 먹어요?
아빠: 떡국이랑 비슷한 음식을 먹지.

4단원 • 피곤하기는 하지만 행복해요

1. 친구와 함께 하는 활동

Track 13

그리기
좋아하는 것을 골라서 그리다
요리하기
여러 재료를 가지고 요리하다
글짓기
생각과 느낌을 글로 쓰다
독서하기
책을 빌려 읽다
만들기
찰흙으로 다양한 모양을 빚다

2. 현장 체험 학습

Track 14

천문대
별자리를 보다
달을 보다
놀이공원
놀이 기구를 타다
영화관
영화를 보다
동물원
동물을 구경하다
극장
연극을 보다

Track 15

아이다: 나는 놀이공원에 가고 싶어. 우리 같이

놀이공원에 가서 놀이 기구를 타자.

성우: 나는 동물원에 가고 싶어. 동물원에 가서 동물을 구경하자. 같이 갈래?

아비가일: 천문대는 어때? 우리 같이 천문대에서 달을 보자.

5단원 • 알기 쉽게 설명해 준 덕분에 이해했어

1. 처음 만난 친구

Track 16

1. 쑥스럽다
2. 부끄럽다
3. 불안하다
4. 당황스럽다
5. 창피하다

2. 고마운 친구

Track 17

1. 감동하다
2. 든든하다
3. 놀라다
4. 감격하다

3. 내가 그렇게 한 이유

Track 18

1. 잃어버린 물건을 찾다
2. 친구와 수다를 떨다
3. 심부름을 하다
4. 놀이터에서 놀다
5. 숙제를 하다
6. 동생을 달래다

Track 19

지민: 어제 왜 전화를 안 받았어?

저밍: 미안해. 엄마 심부름을 하느라 못 받았어.

4. 거절하는 방법

Track 20

1. 번갈아 하다
2. 다음으로 미루다
3. 약속을 다시 정하다
4. 대신해 주다
5. 시범을 보여 주다

5. '짝 찾기' 놀이 하기

Track 21

엄마: 성우야, 축구공 치웠니?

성우: 만화 보느라 아직 못 치웠어요.

엄마: 아직도 안 치웠어? 빨리 치우라니까.

성우: 지금 보는 만화만 다 보고 치우면 안 될까요?

엄마: 너나 네 동생이 실수로 공을 밟고 넘어질까 봐 그래. 어서 치워.

성우: 아, 알겠어요. 지금 치울게요.

6단원 • 달리기하다가 넘어지고 말았어요

1. 학교에서의 실수

Track 22

1. 물을 엎지르다
2. 길을 잃다
3. 배턴을 놓치다
4. 창문을 깨뜨리다
5. 넘어지다
6. 돌부리에 발이 걸리다
7. 헛발질을 하다
8. 친구와 부딪치다

2. 교실에서의 실수

Track 23

1. 잘못 가져오다

2. 깜빡 잊다

3. 잘못 알아듣다

4. 잘못 보다

5. 못 듣다

6. 잃어버리다

7. 안 가져오다

Track 24

하미: 선생님, 교과서를 잘못 가져왔어요.

선생님: 저런, 하미가 교과서를 잘못 가져왔구나. 그럼 짝꿍이랑 같이 보세요.

4. 친구와 사이좋게 지내기

Track 25

1. 양보하다

2. 친구 말을 잘 들어주다

3. 먼저 사과하다

4. 잘 도와주다

5. 놀리지 말다

6. 화내지 말다

Track 26

요우타: 앞으로는 친구에게 먼저 양보해야지. 다음부터는 친구 말을 잘 들어줘야지. 이제 친구를 놀리지 말아야지.

Track 27

지민: 성우야, 아이다가 나한테 화가 난 것 같아.

성우: 왜 둘이 싸웠어?

지민: 아까 실수로 아이다 책을 찢었거든.

성우: 그랬구나. 아이다한테 사과는 했어?

지민: 그게…… 너무 당황해서 사과도 못 하고 말았어.

성우: 그런 일이 있을 때는 바로 사과하는 게 좋아.

지민: 그래, 맞아. 다음부터는 바로 사과해야지.

Track 28

리암: 어떡하지? 형의 게임기를 고장 내고 말았어.

아이다: 형 게임기를?

리암: 형이 좋아하는 게임기인데…….

아이다: 큰일 났구나. 사실대로 말하는 건 어때?

리암: 알겠어. 앞으로는 조심해야지.

6. 재미있는 실수 말하기

Track 29

어느 날 프랭크는 정원에서 음료수가 담긴 컵을 막대로 젓고 있었어요. 그런데 갑자기 집에서 어머니가 프랭크를 부르셨어요.

집으로 들어간 프랭크는 정원에 두고 온 컵을 깜빡 잊고 말았어요. 컵은 밤새 추운 정원 테이블 위에 놓여 있었어요.

다음 날 아침 프랭크는 얼어 버린 컵을 보고 생각했어요.

프랭크: '어제 컵을 집 안으로 가지고 들어갈걸. 그랬으면 얼지 않았을 텐데.'

프랭크는 컵을 안 가지고 들어간 것을 후회했어요.

컵에서 막대를 뽑으려는 순간, 컵만 떨어져 나왔어요. 막대를 잡고 한 입 먹어 보니 정말 맛있었어요. 그래서 프랭크는 다짐했어요.

프랭크: "정말 맛있구나. 여름에 이렇게 아이스바를 만들어 먹어야지."

7단원 • 백성을 위해 한글을 만드셨어요

1. 광화문 광장의 위인들

Track 30

1. 한글을 만들다

2. 물시계를 발명하다

3. 전쟁에서 싸우다

4. 전쟁을 준비하다

5. 거북선을 만들다

Track 31

선생님: 세종대왕은 백성을 위해 한글을 만드셨어요. 이순신 장군은 나라를 위해 전쟁에서 싸우셨어요.

2. 위인전 속 위인들

Track 32

1. 전구를 발명하다
2. 우주를 연구하다
3. 가난한 사람을 돕다
4. 훌륭한 음악을 작곡하다
5. 정성껏 환자를 간호하다

3. 존경하는 인물

Track 33

1. 축음기를 발명하다
2. 전화기를 발명하다
3. 가난한 사람을 돕다
4. 고아를 돌보다
5. 환자를 정성껏 간호하다
6. 간호 학교를 세우다
7. 훌륭한 음악을 작곡하다
8. 오페라를 만들다

7. 책 속 인물 소개하기

Track 34

지민: 저는 며칠 전에 읽은 책에 나온 테레사 수녀님을 소개해 드리겠습니다. 테레사 수녀님은 유럽 사람이었습니다. 그렇지만 인도에서 사람들을 위해 평생 봉사했습니다. 고아를 돌보았을 뿐 아니라 아픈 사람들을 치료해 주었습니다. 테레사 수녀님은 언제나 하얀 옷을 입었는데, 인도에서 하얀 옷은 가난한 사람들이 입는 옷이었습니다. 이렇게 수녀님은 언제나 가난하고

어려운 사람 편이었습니다. 그래서 인도 사람들은 아직도 테레사 수녀님을 아주 사랑하고 있습니다.

8단원 • 성격이 아주 유쾌한가 봐

1. 내가 좋아하는 것

Track 35

1. 자동차 장난감을 가지고 놀다
2. 인형 옷을 갈아입히다
3. 병원놀이를 하다
4. 공룡 그림책을 보다
5. 춤을 따라 추다
6. 개그 프로그램을 보다

2. 내가 잘하는 것

Track 36

1. 동물을 돌보다
2. 예쁜 인형을 그리다
3. 자동차를 잘 알다
4. 공룡 이름을 외우다
5. 노래를 만들다
6. 흉내를 내다

Track 37

선생님: 우리 반 친구들이 잘하는 것을 이야기해 봐요. 여러분, 요우타는 무엇을 잘해요?
지민: 요우타, 너는 친구들 흉내를 아주 잘 내잖아.
리암: 맞아. 선생님 흉내도 아주 잘 내잖아.

3. 진로 탐구 대회

Track 38

1. 유쾌하다
2. 집중력이 강하다

3. 마음이 따뜻하다
4. 흥이 많다
5. 도전 정신이 강하다
6. 상상력이 풍부하다

7. 미래의 모습 이야기하기

Track 39

아이다: 저밍, 우리 나중에 커서 어떤 사람이
　　　　되어 있을까?

저밍: 나는 요리를 좋아하잖아. 그러니까 아마
　　　호텔 요리사가 되어 있지 않을까?

아이다: 요리를 정말 좋아하나 봐. 진로 탐구
　　　　대회 때 네 그림을 봐서인지 벌써 네가
　　　　요리사가 된 것 같아.

저밍: 아이다, 너는 커서 뭐가 되어 있을까?

아이다: 나는 동물 돌보는 걸 잘하잖아. 수의
　　　　사가 되어 있겠지.

저밍: 너도 정말 멋지다.

정답

1단원 · 우산을 가지고 다니도록 해요

1. 날씨에 따른 모습

1. 1) 장마/소나기/태풍
2. 2) ① 장마가 졌어요. 그래서 강물이 넘쳤어요.
   ② 구름이 꼈어요. 그래서 하늘이 흐렸어요.
   ③ 눈이 내렸어요. 그래서 길이 눈으로 덮였어요.
   ④ 태풍이 왔어요. 그래서 비바람이 불었어요.
3. ① 리암: 오늘 날씨가 어때요?
   아이다: 오늘은 태풍이 왔어요.
   리암: 태풍이 와서 어땠어요?
   아이다: 태풍이 와서 비바람이 불었어요.
   ② 리암: 오늘 날씨가 어때요?
   아이다: 오늘은 소나기가 내렸어요.
   리암: 소나기가 내려서 어땠어요?
   아이다: 소나기가 내려서 강물이 넘쳤어요.

2. 계절에 따른 날씨와 생활

1. 2) 봄에서 여름이 되면 더워지게 돼요.
   여름에서 가을이 되면 시원해지게 돼요.
   가을에서 겨울이 되면 추워지게 돼요.
   겨울에서 봄이 되면 따뜻해지게 돼요.
2. 1)

   2) ① 쌀쌀할수록 감기에 잘 걸리게 돼요.
   ② 무더울수록 지치게 돼요.
3. 1) ① 봄
   ② 가을

③ 겨울

3. 미세 먼지와 건강한 생활

1. 1) 크기가 매우 작은 먼지예요.
   2) 건강이 나빠질 수 있어요.
2. 1)

   2) 마스크를 쓰도록 해요./깨끗하게 씻도록 해요./창문을 닫도록 해요.

4. 여러 나라의 날씨와 특징

2. 1)

5. '계절이 되면' 놀이 하기

1. 1) 소나기가/우산을/태풍이
   2) ① 가을이 되니까 점점 건조해져./그럴수록 산불이 잘 나게 되는 것 같아./건조할수록 불조심하도록 하자.
   ② 겨울이 되니까 점점 쌀쌀해져./그럴수록 감기에 잘 걸리게 되는 것 같아./쌀쌀해질수록 따뜻한 옷을 입도록 하자.
   ③ 봄이 되니까 점점 포근해져./그럴수록 졸리게 되는 것 같아./포근해질수록 충분히 잠을 자도록 하자.

6. 신문 기사 읽기

1. 2) ×/○

3) 건조한 날씨를 해결해 줘요./더러운 공기
를 깨끗하게 바꿔 줘요.

2. 1)

2) 태풍은 지구를 위해 일하는 착한 일꾼이에
요. 태풍은 여러 가지 일을 해요. 첫째, 태
풍은 지구의 뜨거운 열이 골고루 퍼지도록
도와요. 둘째, 태풍은 건조한 날씨를 해결
해 줘요. 셋째, 태풍은 더러운 공기를 깨끗
하게 바꿔 줘요.

7. 일기 예보 말하기

1. 2) 서울(맑음)/대전(흐림)/대구(흐림)/광주
(비)/부산(비)/제주(천둥 번개)
3) 천둥 번개와/비가/흐리겠습니다
2. (학생 이름)/서울과 대전은 비가 내리겠습니
다. 대구와 광주는 구름이 많아 흐리겠습니
다. 부산과 제주는 맑겠습니다.

8. 생각 넓히기

1. 1) 비나 소나기가 많이 내려서 → 날씨가 습
해지면 → 집 안에 곰팡이가 생겨요.
비나 소나기가 많이 내려서 → 땅이 약해
지면 → 산사태가 일어나요.
2. 1) 안전한 곳으로/장화를/창문을
2) 안전한 곳으로 피해요./날씨가 맑아지면
창문을 열어요.

<table>
<tr><td>2단원 • 열심히 달렸더니 다리가 아파요</td></tr>
</table>

1. 친구와 함께 하는 운동

1. 1) 줄넘기/술래잡기/피구
2) ①축구/②피구
2. ① 내가 줄을 돌릴 테니까 너는 줄을 넘을래?
② 내가 쫓아갈 테니까 너는 도망갈래?
③ 내가 공을 던질 테니까 너는 공을 피할래?

2. 운동회에서 겪은 일

2. 1)

3. 운동 약속

1. 1) 성우(배드민턴)/빈센트(수영)/아이다(배
드민턴)
2) 토요일에 배드민턴을 치기로 했어요.
2. 2) ① 학교 끝나고 공원에서 자전거 탈래?/
자전거 대신에 음악 줄넘기는 어때?/
좋아, 그럼 체육관에서 보자.
② 학교 끝나고 체육관에서 음악 줄넘기
할래?/음악 줄넘기 대신에 수영은 어
때?/좋아, 그럼 스포츠 센터에서 보자.

4. 가족과 함께 간 등산

1. 2) ○/×
3) 전망대(경치를 보다.)/문수사(동생의 배
낭을 대신 메다.)
2. 1) 전망대에 도착해 경치를 봤더니 저 멀리
다리가 보였다.
2) 주차장에 돌아와 차에 올라탔더니 나도

모르게 잠이 왔다.

5. '몸으로 말해요' 놀이 하기

1. 1) ②/①/③

 2)

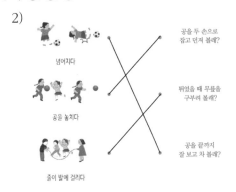

6. 이야기 읽기

2. 1) 대신에/테니까

 2) 자전거를 처음 타 보았더니 자전거가 넘어
질 것 같았어요.

7. 일기 쓰기

1. 1) 토요일 오후 2시에 학교 운동장에서 축구
를 하고 싶어 해요.

 2) 이어달리기 연습하자.
시간: 일요일 오전 10시
장소: 운동장

8. 생각 넓히기

1. 1)

1. 설날의 모습

2. 1) ③/①/②

2. 추석의 풍습

1. 1) 농사를 지어 가을에 거둔 곡식에 대해 감
사하는 날이에요.

 2) 차례를 지내다/송편을 빚다/곡식을 거두
다/씨름을 하다

2. 추석에는 송편을 빚는데 송편은 쌀가루로 둥
글게 만듭니다.

3. 기념일에 하고 싶은 일

1. 1) 5월 5일은 어린이날이에요./5월 8일은 어
버이날이에요.

2. 1) 리암은 가족과 함께 놀이공원에 가고 싶어
해요.

 2) ① 리암: 어린이날에는 주로 무엇을 했어?
지민: 나는 선물을 받곤 했어. 이번에는
놀이공원에 가고 싶어.

 ② 리암: 어버이날에는 주로 무엇을 했어?
지민: 나는 노래를 불러 드리곤 했어.
이번에는 집안일을 돕고 싶어.

4. 국경일에 찾아간 곳

1. 1) 성우는 광복절에 광화문 광장에 갔어요.
아이다는 한글날에 한글 박물관에 갔어요.

5. '접어!' 놀이 하기

1. 1) 한복을 입다/그네를 타다/윷놀이를 하
다/떡국을 먹다/씨름을 하다./카네이션을
접어서 드리다

 2) ① 추석은 한국의 명절인데 추석에는 씨
름을 하곤 해요.

② 한글날에 한글박물관에 갔는데 한글을 예쁘게 꾸몄던 기억이 나요.

6. 기행문 읽기

1. 1) 아이다는 성우와 함께 한글날에 국립한글박물관에 갔어요.
  2) 아이다는 한글 배움터에서 글자들을 붙여서 이름을 만들었어요.
2. 낱말을 예쁘게 꾸미다(한글 놀이터)/글자를 붙여서 이름을 만들다(한글 배움터)

7. 설명하는 글 쓰기

1. 1) 일본의 설날에 대해 이야기하고 있어요.
  2) 일본 사람들은 떡국과 비슷한 음식을 먹어요.

> **4단원 • 피곤하기는 하지만 행복해요**

1. 친구와 함께 하는 활동

2. 1)

2. 현장 체험 학습

2. 1) 놀이 기구를 타다/동물원/천문대/달을 보다
  2) ① 아비가일은 천문대로 가재요. 저도 아비가일과 같이 달을 보고 싶어요.
    ② 자르갈은 극장으로 가재요. 저도 자르갈과 같이 연극을 보고 싶어요.
    ③ 촘푸는 동물원으로 가재요. 저도 촘푸와 같이 동물을 구경하고 싶어요.
3. ① 지민이는 영화관에 가서 영화를 보재요.

② 저밍은 동물원에 가서 동물을 구경하재요.
③ 자르갈은 천문대에 가서 달을 관찰하재요.

3. 봉사 활동 제안하기

1. 1) 저밍은 기분이 정말 좋았어요.
  2) 축제에 요양원의 할머니, 할아버지도 초대하고 싶어요.
  3) 할머니, 할아버지께서 아이들을 정말로 좋아하세요.
2. 2) ① 피곤하기는 했지만 기분이 좋았어요.
    ② 힘들기는 했지만 재미있었어요.
    ③ 지치기는 했지만 보람찼어요.

4. 모둠 역할 정하기

2. 1) 기록이/지킴이/나눔이/이끔이
  2) ① 지금부터 발표하겠습니다.
    ② 내가 나누어 줄게.
    ③ 아이다부터 돌아가면서 말해 볼까?
    ④ 복도에서는 걸어 다녀야 해.

6. 이야기 읽기

1. 1) 지하철과 승강장 사이에 몸이 끼이는 사고가 벌어졌어요.
  2) 여러 사람이 힘을 합쳐서 열차를 움직이게 했어요.
2. ④ → ③ → ① → ②

7. 제안하는 글 쓰기

1. 1) 우유 상자에서 우유가 바닥에 샜어요./친구들이 코를 막고 괴로워해요./우유가 지민이의 바지에 묻었어요./아비가일이 걸레를 들고 닦으려 해요.
2. 1) 우유갑에서 우유가 새서 친구들이 힘들어했어요.
  2) 우유갑을 씻고 바르게 세워서 놓는 게 어

때요?

3. 1) 우유를 마시고 나면 먼저 깨끗하게 씻는
거예요. 그리고 깨끗하게 씻은 우유갑을
바르게 세워 놓는 것은 어때요? 이렇게 하
면 우유가 새지 않을 거예요.

8. 생각 넓히기

1. 1) 젓가락이 많이 모이면 튼튼해지기 때문이
에요.
2) 함께 도와야 한다는 것을 말하고 있어요./
힘을 합쳐야 한다는 것을 말하고 있어요.

2. 1) 아무리 가벼운 물건도 함께 들면 더 낫다
는 뜻이에요./아무리 쉬운 일이라도 서로
힘을 합하면 훨씬 쉽다는 뜻이에요.
2) ① 무거운 물건을 옮기는 친구를 도울 때
사용할 수 있어요.
② 교실을 청소하는 친구를 도울 때 사용
할 수 있어요.
③ 다리를 다친 친구를 도와줄 때 사용할
수 있어요.

5단원 • 알기 쉽게 설명해 준 덕분에 이해했어

1. 처음 만난 친구

1. 2) 가: 리암은 지금 기분이 어때요?
나: 쑥스러워요./부끄러워요./불안해요./
창피해요./당황스러워요.

2. ① 가: 너는 처음 전학 왔을 때 기분이 어땠어?
나: 나는 좀 당황스러웠어.
가: 그랬구나. 왜 당황스러웠어?
나: 피부색이 달라서 친구들이 이상하게
생각할까 봐 그랬어.
② 가: 너는 처음 전학 왔을 때 기분이 어땠어?
나: 나는 좀 창피했어.
가: 그랬구나. 왜 창피했어?

나: 나만 한국어를 못할까 봐 그랬어.
③ 가: 너는 처음 전학 왔을 때 기분이 어땠어?
나: 나는 좀 부끄러웠어.
가: 그랬구나. 왜 부끄러웠어?
나: 한국어 발음을 틀릴까 봐 그랬어.

2. 고마운 친구

1. 2) 리암이 지민이에게 쓴 편지예요.
3) 가: 친구가 도와줬을 때 기분이 어땠어요?
나: 그때 참 든든했어요./그때 참 놀랐어
요./그때 참 감격했어요.

2. ① 준비물을 다 챙겼는지 전화해 준 덕분에
잊지 않고 잘 챙겼어.
② 병문안을 와 준 덕분에 기운이 났어.
③ 학교 여기저기를 안내해 준 덕분에 학교
생활에 익숙해졌어.

3. 내가 그렇게 한 이유

2. ① 가: 어제 무슨 일이 있었어? 왜 전화를 안
받았어?
나: 미안해. 심부름을 하느라고 못 받았어.
② 가: 어제 무슨 일이 있었어? 왜 전화를 안
받았어?
나: 미안해. 잃어버린 물건을 찾느라고 못
받았어.
③ 가: 어제 무슨 일이 있었어? 왜 전화를 안
받았어?
나: 미안해. 동생을 달래느라고 못 받았어.
④ 가: 어제 무슨 일이 있었어? 왜 전화를 안
받았어?
나: 미안해. 숙제를 하느라고 못 받았어.
⑤ 가: 어제 무슨 일이 있었어? 왜 전화를 안
받았어?
나: 미안해. 놀이터에서 노느라고 못 받았어.

4. 거절하는 방법

1. 2) 가: 어떻게 하는 게 좋겠어?

   나: 다음으로 미루는 게 좋겠어./약속을
   다시 정하는 게 좋겠어./네가 대신해
   주는 게 좋겠어./네가 시범을 보여 주
   는 게 좋겠어.

2. 가: 오늘 수업 끝나고 운동장에서 축구할래?

   나: 다음으로 미루면 안 될까?

   가: 우리 주말 약속 잊지 않았지?

   나: 약속을 다시 정하면 안 될까?

   가: 식판을 들 수 있겠어?

   나: 네가 대신해 주면 안 될까?

   가: 너도 한번 넣어 볼래?

   나: 네가 시범을 보여 주면 안 될까?

3. 좀 쉬었다가 하면 안 될까?/
   우리가 자리를 양보해 드리면 안 될까?/
   나도 끼워 주면 안 될까?

5. '짝 찾기' 놀이 하기

1. 1) ①
   2) ③

2. 1) 저밍: 요우타, 미안해. 숙제하느라 빌려준
      책을 다 못 읽었어.

      요우타: 그랬구나. 숙제는 다 했어?

      지밍: 응. 다 했어. 책을 하루만 더 빌려주면
      안 될까?

      요우타: 그래, 좋아. 그럼 내일 돌려줘.

   2) 아비가일: 아이다, 미안해. 딴생각을 하느라
      네 말을 못 들었어.

      아이다: 그랬구나. 무슨 걱정이 있어?

      아비가일: 아니야. 다시 한번 말해 줄래?

      아이다: 그래, 좋아.

6. 감사 편지 쓰기

1. 1) 리암이/선생님께

   2) 처음 한국에 왔을 때 정말 당황스러웠어요.

   3) 선생님께서 한국어를 잘 가르쳐 주신 덕분
      에 한국 생활에 익숙해졌기 때문이에요.

2.

> 선생님께
>
> 선생님, 안녕하세요? 저 요우타예요.
> 요즘 친구들과 오해가 생겨서 우울했어요. 그런
> 데 선생님께서 친구들에게 제 사정을 잘 설명해
> 주신 덕분에 안심했어요. 정말 감사해요.
> 앞으로 친구들과 사이좋게 지낼게요.
>
> 요우타 올림

7. 신문 상담 글 읽기

1. 1) 너무 섭섭하고 속상해요.

   2) 요즘 친구들이 저 몰래 제 얘기를 하는 것
      같아요.

   3) 우선, 친구들에게 자신의 마음을 솔직히
      말해 보라고 했어요. 그러고 나서 담임 선
      생님을 찾아가 보라고 했어요.

2. 1) 아주 걱정이 돼요.

   2) 어느 날부터 친구가 자신들을 피하는 것
      같아요.

   3) 우선, 직접 만나서 친구에게 무슨 문제가
      있는지, 다른 친구들에게 섭섭한 일은 없
      는지 물어보라고 했어요.

8. 생각 넓히기

3. 1) 코가 납작해졌어
   2) 손에 땀을 쥐는

6단원 • 달리기하다가 넘어지고 말았어요

1. 학교에서의 실수

1. 2)

2. 가: 무슨 일이 있었어?

　나: 친구를 찾다가 길을 잃고 말았어./잘못해서 물을 엎지르고 말았어./이어달리기를 하다가 배턴을 놓치고 말았어./야구를 하다가 창문을 깨뜨리고 말았어./축구공을 차다가 헛발질을 하고 말았어./걸어가다가 돌부리에 발이 걸리고 말았어./뛰어가다가 친구와 부딪치고 말았어.

3. 1) 달리기를 하다가 넘어졌어요.

　2) 앞 친구보다 빨리 가고 싶어서 빨리 뛰었는데, 갑자기 몸이 앞으로 기울어졌어요. 그래서 넘어지고 말았어요.

2. 교실에서의 실수

2.

3. 후회하는 일

2. ① 쿠션을 던지지 말걸.

　② 물고기를 꺼내지 말걸.

③ 장난감을 치울걸.

④ 전화기를 떨어뜨리지 말걸.

⑤ 액자를 건드리지 말걸.

⑥ 우유 잔을 조심할걸.

3. ① 놀리지 말걸.

　② 조금만 먹을걸.

　③ 뛰지 말걸.

　④ 조심할걸.

4. 친구와 사이좋게 지내기

1. 2) 앞으로는 친구에게 먼저 사과해야지

　　앞으로는 친구를 잘 도와줘야지.

　　앞으로는 친구에게 화내지 말아야지.

2. 1)

　2) 다음부터는 바로 사과해야지.

4. 고장 내고 말았어./큰일 났구나./조심해야지.

5. 청개구리 이야기 읽기

1. 1) 엄마는 말 안 듣는 아리 때문에 늘 속이 상했어요.

　2) 아리가 늘 반대로 하니까 이렇게 말해야 아리가 엄마를 산에 묻을 거라고 생각했어요.

　3) 엄마의 무덤이 떠내려갈까 봐 걱정돼서요.

2. 반찬을 골고루 먹을걸.

　추운 날엔 긴바지를 입을걸.

　일찍 집에 들어갈걸.

　엄마 말대로 할걸.

6. 재미있는 실수 말하기

1. 2) ①/③/②/④

　가지고 들어갈걸/잊고 말았어요/맛있구나/먹어야지

7. 다짐의 글 쓰기

1. 1) ③

   2) "조용히 하세요."라고 말씀하셨어요.

   3) 수업 시간에 조용히 할 거예요.

2. 2)

8. 생각 넓히기

2. 원숭이도 나무에서 떨어진다잖아./원숭이도 나무에서 떨어진대./원숭이도 나무에서 떨어질 때가 있어.

7단원 • 백성을 위해 한글을 만드셨어요

1. 광화문 광장의 위인들

1. 2) 가: 세종대왕은 어떤 훌륭한 일을 하셨어요?

   나: 세종대왕은 물시계를 발명하셨어요.

   가: 이순신 장군은 어떤 훌륭한 일을 하셨어요?

   나: 이순신 장군은 전쟁에서 싸우셨어요./전쟁을 준비하셨어요./거북선을 만드셨어요.

2. 2) 세종대왕은 백성을 위해 물시계를 발명하셨어요.

   이순신 장군은 나라를 위해 전쟁을 준비하셨어요./이순신 장군은 나라를 위해 거북선을 만드셨어요.

2. 위인전 속 위인들

2.

나이팅게일은 정성껏 환자를 간호했어요. 그래서 많은 사람들의 병이 낫게 했어요.

스티븐 호킹은 우주를 연구했어요. 그래서 우리가 우주의 신비를 알게 했어요.

마더 테레사는 가난한 사람들을 도왔어요. 그래서 많은 사람들이 굶지 않게 했어요.

베토벤은 훌륭한 음악을 작곡했어요. 그래서 우리가 아름다운 음악을 감상할 수 있게 했어요.

3. 존경하는 인물

2. 마더 테레사는 가난한 사람들을 도왔을 뿐 아니라 고아를 돌보았어요.

   나이팅게일은 환자를 정성껏 간호했을 뿐 아니라 간호 학교를 세웠어요.

   베토벤은 훌륭한 음악을 작곡했을 뿐 아니라 오페라를 만들었어요.

3. 1) 블랙홀의 비밀을 밝혔/우주의 역사를 연구했습니다.

4. 존경하는 이웃

1. 1) 아주 성실한 사람이라고 말해요./정이 많고 책임감이 강한 분이라고 말해요.

   2) ×/○

2. 1) 요우타는 내가 무엇을 부탁하든지 다 들어줘요.

   2) 강아지는 내가 어디를 가든지 늘 졸졸 따라와요.

   3) 성우는 어떤 이야기를 하든지 다 재미있

어요.
4) 엄마는 내가 어떤 옷을 입든지 다 잘 어울린대요.

5. 위인전 읽기

1. 1) ① 세종대왕은 임금이 된 후에도 열심히 공부했어요.(○)
      ② 세종대왕은 과학과 음악에 관심이 많았어요.(○)
      ③ 세종대왕은 한글을 만들었어요.(○)
   2) 한글을 만든 것이에요.
   3) 세종대왕이 한글을 만든 덕분에 사람들은 자기의 생각을 쉽게 글로 쓸 수 있게 되었어요.

6. 존경하는 인물에게 편지 쓰기

1. 1) 지금 어려운 한자를 공부하고 있을 거예요.
   2) 세종대왕처럼 다른 사람을 위해 좋은 일을 하고 싶어요.

7. 책 속 인물 소개하기

1. 1) 테레사 수녀님을 소개했어요.
   2) 돌보았을 뿐 아니라
   3) 위해/편

8. 생각 넓히기

1.

3. 천재는 1퍼센트의 영감과 99퍼센트의 노력으

로 만들어진다.
당신이 오늘 베푼 선행은 내일이면 사람들에게 잊혀질 것이다. 그래도 선행을 베풀어라. 고개를 들어 별을 보라, 당신의 발만 들여다보지 말고.

8단원 · 성격이 아주 유쾌한가 봐

1. 내가 좋아하는 것

2. 가: 아이다, 너는 뭘 할 때 제일 재미있어?
   나: 난 병원놀이를 할 때 제일 재미있던데.
   가: 아비가일, 너는 뭘 할 때 시간 가는 줄 모르겠어?
   나: 난 춤을 따라 출 때 시간 가는 줄 모르겠던데.
   가: 요우타, 너는 뭘 할 때 제일 기분이 좋아?
   나: 난 개그 프로그램을 볼 때 제일 기분이 좋던데.

3. 진로 탐구 대회

2. ① 아이다는 수의사가 되고 싶구나. 마음이 따뜻한가 봐.
   ② 아비가일은 연예인이 되고 싶구나. 흥이 많은가 봐.
   ③ 리암은 카레이서가 되고 싶구나. 도전 정신이 강한가 봐.
   ④ 지민이는 의상 디자이너가 되고 싶구나. 상상력이 풍부한가 봐.
3. ① 가: 아이다, 너는 커서 뭐가 되고 싶어?
      나: 나는 수의사가 되고 싶어.
      가: 그래? 마음이 따뜻한가 봐.
   ② 가: 아비가일, 너는 커서 뭐가 되고 싶어?
      나: 나는 연예인이 되고 싶어.
      가: 그래? 흥이 많은가 봐.
   ③ 가: 리암, 너는 커서 뭐가 되고 싶어?

나: 나는 카레이서가 되고 싶어.
가: 그래? 도전 정신이 강한가 봐.
④ 가: 지민아, 너는 커서 뭐가 되고 싶어?
나: 나는 의상 디자이너가 되고 싶어.
가: 그래? 상상력이 풍부한가 봐.

4. 장래 희망

1. 1) 성우는 커서 공룡 박사가 되고 싶어 해요.
   2) 보아서인지
   3) 강해서인지
2. ① 아이다는 반려동물을 키워서인지 수의사가 되고 싶어 해요.
   ② 아비가일은 무대에 서는 것을 좋아해서인지 연예인이 되고 싶어 해요.
   ③ 리암은 빠른 속도를 즐겨서인지 카레이서가 되고 싶어 해요.
   ④ 지민이는 꾸미는 것을 좋아해서인지 의상 디자이너가 되고 싶어 해요.

5. 인터뷰 기사문 읽기

1. 1) '음식을 만드는 사람'이라는 뜻이에요.
   2) 사장님은 빵을 너무 좋아해서인지 맛있는 빵을 직접 만들어서 먹고 싶어서 파티시에가 되었어요.
   3) 사장님이 만든 빵을 먹고 사람들이 건강했으면 좋겠어요. 그래서 좋은 재료를 써요.
2. 좋아해서인지/파티시에/파티시에
3. 서점이 사회에 필요할 것 같아서/서점에서 많은 사람을 만날 수 있/언제든 책을 읽을 수 있다고 생각해서인지 책을 많이 안 읽는다

7. 미래의 모습 이야기하기

1. 1)

   2) 봐서인지
   3) 아이다는 동물 돌보는 것을 잘해요.

8. 생각 넓히기

1.

문법 색인

-게 하다 129

-기는 하지만 77

-는 게 어때요 77

-는대요 73

-으래요 73

-게 되다 21

-고 말다 109

-곤 하다 59

-기 위해서 79

-느라고 95

-는 덕분에 93

-는데 57

대신에 41

-더라 55

-던데 145

-도록 하다 23

-든지 133

-어서인지 151

-어야지 115

-었구나 111

-었더니 39

-었던 61

-으면 안 될까? 97

-은가 보다 149

-을 뿐 아니라 131

을 위해 127

-을 테니까 37

-을걸 113

-을까 봐 91

-을수록 21

-잖아 147

-재요 75

어휘 색인

ㄱ

가난한 사람을 돕다 129
간호 학교를 세우다 131
감격하다 93
감기 21
감동하다 93
개그 프로그램을 보다 145
개그 프로를 즐겨 보다 151
거두다 57
거북선을 만들다 127
건강 23
건조하다 21
겨루다 57
고아를 돌보다 131
곡식 57
공룡 그림책을 보다 145
공룡 이름을 외우다 147
공연 77
공원 41
광복절 61
광화문 61
구경하다 75
국경일 61
굴리다 39
그네 55
그리기 73
극장 75
글짓기 73
기념행사 61
기념일 59
기록이 79
기록하다 79
기특하다 43

길을 잃다 109
깜빡 잊다 111
꾸미는 것을 좋아하다 151
꾸미다 61
끼다 19

ㄴ

나누어 주다 79
나눔이 79
널뛰기 55
넘다 37
넘어지다 109
넘치다 19
노래를 만들다 147
놀라다 93
놀리다 115
놀이 기구 75
놀이터에서 놀다 95
농사 57

ㄷ

다음으로 미루다 97
날 75
달력을 찢다 113
당황스럽다 91
대신해 주다 97
더워지다 21
던지다 37
덮이다 19
도망가다 37
도전 정신이 강하다 149
독서하기 73
돌리다 37

돌부리에 발이 걸리다 109
돕다 59
동물을 돌보다 147
동생을 달래다 95
든든하다 93
등산 43
등산로 43
떡국 55
뜨다 19

ㅁ

마스크 23
마음이 따뜻하다 149
막다 37
만들기 73
메다 43
명절 57
모둠 79
목이 쉬다 39
못 듣다 111
무대 77
무대에 서는 것을 좋아하다 151
무딥나 21
무지개 19
물감 73
물시계를 발명하다 127
물을 엎지르다 109
미세 먼지 23
밀림 25

ㅂ

박물관 61
박수 77

반려동물을 키우다 151
배낭 43
배드민턴 41
배턴을 놓치다 109
번갈아 하다 97
벽에 낙서를 하다 113
별자리 75
병원놀이를 하다 145
보람차다 77
복도 79
부끄럽다 91
불안하다 91
비바람 19
빌리다 73
빗다 57
빠른 속도를 즐기다 151

ㅅ

사계절 25
사과하다 115
사막 25
산불 21
상상력이 풍부하다 149
선물 59
설날 55
성실하다 133
소나기 19
소중하다 23
송편 57
수영 41
숙제를 하다 95
술래잡기 37
스포츠 센터 41
습하다 25
시범을 보여 주다 97
시원해지다 21

실내 23
심부름을 하다 95
쌀쌀하다 21
쑥스럽다 91
씨름 57

ㅇ

아프다 39
안 가져오다 111
애국가 61
액자를 떨어뜨리다 113
약속을 다시 정하다 97
양보하다 115
어깨동무 39
어린이날 59
어버이날 59
어항을 깨뜨리다 113
연극 75
연날리기 55
영화관 75
예쁜 인형을 그리다 147
오페라를 만들다 131
요리하기 73
요양원 77
우유를 쏟다 113
우주를 연구하다 129
운동장 41
운동회 39
유쾌하다 149
윷놀이 55
음악 줄넘기 41
응원하기 39
응원하다 39
이끔이 79
이어달리기 39
이인삼각 39

인형 옷을 갈아입히다 145
잃어버리다 111
잃어버린 물건을 찾다 95
입다 55

ㅈ

자동차 장난감을 가지고
놀다 145
자동차를 잘 알다 147
자전거 41
잘못 가져오다 111
잘못 보다 111
잘못 알아듣다 111
장난감을 늘어놓다 113
장마가 지다 19
재료 73
전구를 발명하다 129
전망대 43
전쟁에서 싸우다 127
전쟁을 준비하다 127
전화기를 고장 내다 113
정상 43
정성껏 환자를 간호하다 129
정이 많다 133
졸리다 21
주물러 드리다 77
주차장 43
준비 운동 43
준비물 79
준비하다 73
줄넘기 37
지내다¹ 23
지내다² 55
지치다 21
지킴이 79
집안일 59

집중력이 강하다 149
쫓아가다 37

| ㅊ |

차다 37
차례 55
찰흙 73
창문을 깨뜨리다 109
창피하다 91
책임감이 강하다 133
챙기다 43
천문대 75
체육관 41
체육 대회 59
추석 57
축음기를 발명하다 131
축제 77
춤을 따라 추다 145
친구와 부딪치다 109
친구와 수다를 떨다 95

| ㅋ |

카네이션 59
쿠션을 망가뜨리다 113

| ㅌ |

태극기 61
태풍 19
토론 79

| ㅍ |

포근하다 21
풍습 57
피구 37
피하다 37

| ㅎ |

학급 규칙 79
한글날 61
한글을 만들다 127
한복 55
행동하다 23
헛발질을 하다 109
화내다 115
훌륭한 음악을 작곡하다 129
흉내를 내다 147
흥이 많다 149

담당 연구원 ──

정혜선 국립국어원 학예연구사
박지수 국립국어원 연구원

집필진 ──

책임 집필
이병규 서울교육대학교 국어교육과 교수

공동 집필
박지순 연세대학교 글로벌인재대학 교수
손희연 서울교육대학교 국어교육과 교수
안찬원 서울창도초등학교 교사
오경숙 서강대학교 전인교육원 교수
이효정 국민대학교 교양대학 교수
김세현 서울명신초등학교 교사
김정은 서울가원초등학교 교사
박유현 연세대학교 언어연구교육원 한국어학당 강사

박창균 대구교육대학교 국어교육과 교수
박혜연 서울교대부설초등학교 교사
박효훈 서울원명초등학교 교사
신윤정 서울도림초등학교 교사
이은경 세종사이버대학교 한국어학과 교수
이현진 서울천일초등학교 교사
최근애 서울사근초등학교 교사
강수연 서울선곡초등학교 다문화언어 교원

초등학생을 위한
표준 한국어
의사소통 4 · 저학년

ⓒ 국립국어원 기획 | 이병규 외 집필

초판 1쇄 발행 | 2019년 2월 25일
초판 4쇄 발행 | 2023년 11월 7일

기획 | 국립국어원
지은이 | 이병규 외
발행인 | 정은영
책임 편집 | 한미경
디자인 | 표지디자인봄, 본문디자인봄, 박기연, 박현정, 윤혜민
일러스트 | 우민혜, 민효인, 김채원
사진 제공 | 셔터스톡, 국립한글박물관
음악 | KOMCA 승인 필

펴낸곳 | 마리북스
출판 등록 | 제2019-000292호
주소 | (04037) 서울시 마포구 양화로 59 화승리버스텔 503호

전화 | 02)336-0729, 0730
팩스 | 070)7610-2870
이메일 | mari@maribooks.com
인쇄 | (주)금명문화

ISBN 978-89-94011-95-0(64710)
        978-89-94011-91-2(64710) set

2단원(43쪽)

3단원(65쪽)

초등학교　학년　반

이름:

초등학교　학년　반

이름:

초등학교　학년　반

이름:

초등학교　학년　반

이름:

초등학교　학년　반

이름:

초등학교　학년　반

이름:

6단원(108~109쪽)

물을 엎지르다　　　　길을 잃다　　　　돌부리에 발이 걸리다

배턴을 놓치다　　　창문을 깨뜨리다　　　넘어지다

헛발질을 하다　　　친구와 부딪치다

4단원

부록

81쪽

99쪽

늦잠을 자다	살금살금 걷다
지각을 하다	일찍 자다
일찍 일어나다	지각을 안 하다
친구가 깨워 주다	엄마가 잠에서 깨다

129쪽

에디슨 전구를 발명하다	우리가 밤에도 생활할 수 있다
베토벤 훌륭한 음악을 작곡하다	우리가 아름다운 음악을 감상하다
스티븐 호킹 우주를 연구하다	우리가 우주의 신비를 알다
나이팅 게일 정성껏 환자를 간호하다	많은 사람들의 병이 낫다
마더 테레사 가난한 사람을 돕다	많은 사람들이 굶지 않다

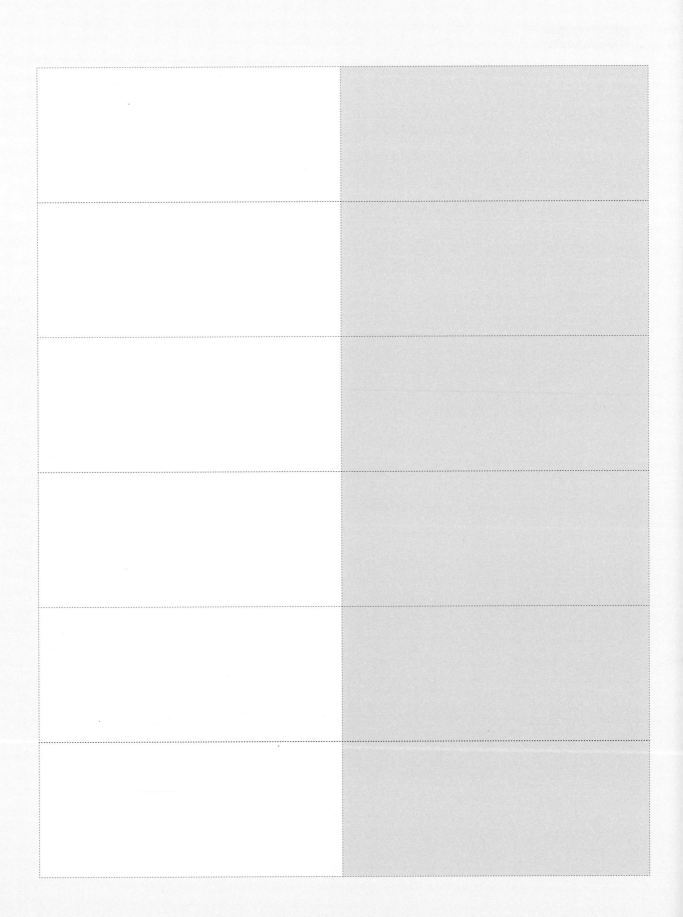